我们生在世界是孤独的。

每个人都被囚禁在一座铁塔里，
靠一些符号同别人传达自己的思想。
这些符号没有共同价值，意义是模糊、不确定的。
我们非常可怜地想把财富传给别人，
但别人却没有接受这财富的能力。

我们只能孤独行走，
身体互相依傍却并不在一起，
既不了解别人也不能为别人所了解。

——《月亮和六便士》

P A U L

蒋勋谈高更

生命的热情

蒋勋——著

GAUGUIN

北京联合出版公司
Beijing United Publishing Co.,Ltd.

Gauguin

目录 CONTENTS

目录 CONTENTS

作者序

找回蛮荒肉体的奢华

达芬奇与米开朗基罗相差二十三岁，高更与梵高相差五岁，如同李白与杜甫相差十一岁，历史有时是以极端冲撞的方式激射出创造与美的灿烂火花。

写米开朗基罗时不能不提到达芬奇，缺了他们中的一个，文艺复兴的历史不完整；同样地，谈梵高时不能不谈高更，缺了其中一人，十九世纪下半叶的欧洲美学也不完整。

他们在一个时代相遇，也在一个城市相遇，他们相遇在文明的高峰。

梵高一八八七年在巴黎与高更相遇，很短的相遇，然后各自走向不同的方向，梵高去了阿尔，高更去了布列塔尼。

他们对那一次短短的相遇似乎都有一点错愕——怎么感觉忽然遇到了前世的自己。

因为错愕，所以会思念、向往、渴望，终于会有第二次相遇。

第二次相遇在阿尔，时间是一八八八年的十月到十二月，他们同住在一间小屋里两个月。

第二次相遇成为悲剧的纠缠，两个月一起生活，一起画画，在孤独的世界中寻找到唯一知己的梦幻破灭，梵高精神病发作，割耳自残，住进精神病院，以最后两年的时间创作出震动世界的狂烈的绘画，在一八九〇年七月举枪自杀，结束（或完成）自己的生命。

高更没有参加梵高的葬礼，他默默远渡大洋，去了南太平洋的塔西提。

高更六岁以前是在南美度过的，他似乎要找回童年没有做完的梦。

在去塔西提之前，高更曾经长达十年任职于当时最红火的巴黎股票市场。作为一名成功的证券商，在巴黎拥有豪宅，娶了丹麦出身高贵的妻子，有五个子女，出入上流社交场所，收藏名贵古董与艺术品。

一个典型的城市中产阶级，在养尊处优的生活中，忽然有了出走的念头。

高更出走了，走向布列塔尼，走向荒野，走向塔西提，走向没有电灯、没有自来水、没有现代工业与商业污染的原始岛屿。

高更是十九世纪末欧洲文明的巨大警钟，宣告白种人殖民文化的彻底破产。

他抛弃的可能不只是自己的家庭、妻子，他抛弃的是欧洲文明已经丧失生命力的苍白、虚伪与矫情。

高更凝视着坐在海边无所事事的塔西提女子，赤裸的胴体、被阳光晒得金褐的肌肤、饱满如丰盛果实的乳房与臀部、明亮的眼睛黑白分明、可以大胆爱也大胆恨的眼神……

高更画下这些女性的胴体，像一种赎罪的仪式，使远在欧洲的白种人震惊，殖民主人被“土著”的美学征服，文明被“原始”征服，高更宣告了另一种后殖民主义的反省与赎罪。

一直到今天，高更仍然是充满争议的人物。他在塔西提连续与几名十三岁至十四岁少女的性爱关系，激怒了许多女权主义者与反殖民主义者。

一个欧洲白种男子，在土著的岛屿上借着“进入”一个少女的身体作为“仪式”，高更究竟在寻找什么？救赎什么？

关在精神病院用绘画疗伤的梵高容易得到“同情”，然而，在遥远荒野的岛屿中解放肉体的高更可能要背负“恶魔”的批判。

在高更最著名的《亡灵窥探》与《永远不再》两幅名作里，匍匐在床上赤裸的土著少女，都是高更在岛上的新娘，都是他借以救赎自己的“处女”，都是他要借“性”的仪式完成的“变身”——从欧洲人变身为土著，从文明变身为原始，从白变身为黑褐，从男性变身为女性，从殖民者变身为爱人，从威权的统治变身为单纯性爱中的拥抱与爱抚。

在十九世纪末凝视一尊丰美肉体的土著男子，高更，如他自己所说——我要找回蛮荒肉体的奢华。

我们能找回蛮荒肉体的奢华吗?

欧美的豪富阶级仍然用金钱在经济贫穷的南美、非洲、亚洲购买男性或女性的肉体。另一方面，道德主义者仍然大加挞伐殖民霸权。高更处在两种论述之间，即使在二十一世纪，依然是争论的焦点。

也许回到高更的画作是重要的，再一次凝视他画中的荒野、原始的丛林和海洋。

果实累累的大树，树下赤裸的男子或女子，他们在文明出现之前，还没有历史，因此只有生活，没有论述。

我们从哪里来？

我们是什么？

我们到哪里去？

高更最后的巨作是几个最原始的问句，如同屈原的《天问》，只有问题，没有答案。

没有答案的问题或许才是千百年可以不断思考下去的起点。

这本书于二〇〇八年一月在泰国完成，四月在欧洲修订，十月在中国台湾做最后校订，以此作为向孤独者高更的致敬。

蒋勋

二〇〇八年十月六日于八里

Puzzles

第一部

高更之谜

①异乡的宿命

是不是**童年最初的记忆**，
会成为人一生永远的寻找？
从祖辈以来革命血缘与自我放逐的传承，
三岁到六岁住在秘鲁的首都利马。

②高更与梅娣

高更，曾是巴黎股票市场的经纪人，一年有四千法郎的高薪收入，来往于上流中产阶级社交圈。
妻子梅特，来自丹麦哥本哈根路德教派大使家庭，五个儿女，幸福美满。
然而，高更选择放弃人人羡慕的职位、家庭、婚姻、妻儿、财富，
一步一步走向他疯狂艺术创作的过程。

为什么他要出走？

是什么主导了他的生命选择？

在与文明决裂的信仰上，高更走得并不顺畅，
为什么却越走越远，至死无悔？

③ 毕沙罗与高更

毕沙罗，一个生在一八三〇年影响了梵高的画家，
也同样似乎主导着高更的生命选择。

毕沙罗的魅力究竟何在？
一张一八八〇年左右的素描十分耐人寻味，
你能看出什么玄机吗？

④梵高与高更

曾经，高更与梵高之间产生了最美的友谊的幻想，
他们都把对方当作创作上的知己，
倾吐寂寞创作中最内在的心事。
梵高画了一张自画像送给高更，
把自己画成了东方僧人；
高更送给梵高的自画像，
则在右下方写着**“悲惨者”**
（Les Miserables）这句法文。
这两个相似的绝望生命，似乎都只为对方燃烧热情。
为什么他们的友谊最终又全盘幻灭？
梵高疯了，高更走得更远，
是什么在导演着这一切？

⑤涅槃·先知·黄色基督

一幅取名**“涅槃”**的油画，
高更笔下的好友德·海恩像是中世纪的僧侣，
他自己则画成古老寓言中的**“先知”**一样带着光环出现。
高更曾经迷恋中世纪，迷恋那些古老的符咒、寓言，
他觉得真正伟大的艺术具备符咒与魔法的力量。
在充满虔诚信仰、气氛纯朴的乡村布列塔尼，
高更画出诡异的“涅槃”“先知”“黄色基督”，
隐喻着他将用不同的方式，来承担苦难与救赎吗？

⑥ 蒂阿曼娜、爪哇安娜、蒂蝴拉

高更拥有过不止一次十三岁左右少女的肉体，
通过性爱使肉体复活的神秘仪式，
最终仍抵不过贫穷与病痛，
这些“奢华”的肉体随风而逝，
只留下巨大的孤独。
你能够从高更为他的女人所绘的画像中
读出他内心的密码吗？

⑦ 亡灵窥探

高更画中的女子肉体与欧洲艺术史上的其他裸女都不一样。
欧洲的女性裸体都是正面的、愉悦的、自信的。
高更画中的毛利少女却如此惊慌恐惧，
如同大难临头，无处躲藏。
《亡灵窥探》中，
高更用毛利人的“亡灵”传统解释少女的恐惧，
然而，谜语的深处会不会是少女对高更的惧怕？
欧洲的白种男子在殖民时代的岛屿会是另一种“亡灵”的逼近吗？
少女肉体的姿态是非常性感的，
高更新婚后，这少女就是以这样的肉体姿态供养她欧洲的白人男主人吧！
一件作品，纠结了解不开的谜，在艺术史上争论不休。

Scenes

第二部

蒋勋现场

塔西提女人·在海边

1891

69×91 厘米

法国巴黎奥赛美术馆

一八九一年，高更初到塔西提不久，他画了两名当地的土著女子，坐在海边，远处是一波一波蓝绿的海浪，仿佛可以听到宁静而持续的浪涛声。

高更刚从繁华的巴黎来，摆脱了工业文明，他可以悠闲地坐在海岸上观察当地土著的生活。左侧的女子右手撑着沙地，侧卧，很自由的身体，身上裹着红底白花的长裙，侧面低头沉思，右耳鬓边簪着白色蓄榀花。一头乌黑的长发，用黄色发带系着，长长的发梢垂在背后。

如果高更在寻找原始岛屿上纯净的生命价值，那么这件作品右侧盘坐的另一土著女人则有不同的表情。她的左耳鬓边戴红花，但这女人穿的是西方欧洲白人带去的连身洋装，那服装与她自然褐黑的身体仿佛有一种尴尬的冲突。那服装的怪异的暗粉红色也与她的肤色格格不入。女人脸上似乎有怨怪什么的表情，看着画外的我们，仿佛在问：我怎么变得这么不伦不类？

高更是在思考原始纯朴文化将要面对的命运吗？或者他只是忠实记录下了十九世纪末法国白人统治的南太平洋岛屿所有土著共同面临的尴尬？

原始纯净的向往里隐含着文化弱势的痛。

欢乐

Arearea Joyeusete

1892

75×94 厘米

法国巴黎奥赛美术馆

高更放弃了他在法国证券市场的工作，放弃了巴黎的繁华，放弃了妻子和五个孩子的家庭生活，放弃了欧洲文明社会的一切保障，单身去了塔西提。

他很讶异被法国殖民的土著可以如此安分地生活，如此欢乐。他看到一棵大树，大树的枝丫横伸出去，自由生长，不必担心被砍伐。树下坐着两名土著女子。围白色布裙的女子端坐如一尊佛，静静地看着我们，好像好奇我们为什么会闯进她们宁静的世界。另一名围蓝色布裙的女子坐在后方，侧面，手中拿着一管竖笛，正专心吹奏，完全不理会我们。一条红褐色的狗缓缓走来，绿色的草地，红赭色的泥土，空气里弥漫着植物潮湿的香气，一切都如此悠长缓慢，像女子吹奏的笛声，可以天长地久，没有什么改变。

岁月静止在这一刻，没有现代，也没有古典，时间使生命静止，如同画面背景部分远远有三个土著，他们或站立，或跪拜，正在一尊巨大的木雕神像前祈祷。这画面或许使文明国度来的高更深有感触吧！

什么是信仰？什么是真正的欢乐？高更在画面上用土著语言铭刻了“Arearea”（欢乐）这个主题。

永远不再

Nevermore

1897

60.5×116 厘米

英国伦敦寇特美术馆

一八九七年二月，高更第二次在塔西提画的 *Nevermore* 是他美学的代表作。

一名土著女子赤裸横卧床上，赭褐丰硕的胴体，像是华丽的盛宴。如同高更自己说的：“我想，一个简单的肉体可以唤醒长久遗失的蛮荒旷野中的奢华——”

肉体躺卧在床上，肩膀、臀股起伏如同大地山峦，高更说的“奢华”是肉体给生命的最大飨宴吗？

高更在塔西提不止一次拥有过十三岁左右少女的肉体，她们的肉体是欧洲前来寻找救赎的白人男子高更的祭品。

祭品这样“奢华”，这女子别无选择地把自己奉献给不可知的“神”，如同原始祭典中处女的血与肉的献祭。

特别明亮灿烂的白色枕头上有着神秘的光，女子黑发披散在枕上，她朝内躺着，但眼神和整个身体似乎都在专注谛听身后两个男人的交谈。

他们在谈什么？像是一次慎重的交易，决定着什么人的命运。是女子的命运吗？为什么一只古怪的鸟停在窗前，仿佛预告着什么事的发生？

高更使肉欲、原始、神秘的符咒、命运、窥探……交错成不可解的画面。仿佛在梦与现实之间，在暗示与预告的边缘，时间静止了，他用不常使用的英语写下了符咒般的标题——*Nevermore*，很想再拥抱或占有一次那样青春奢华的身体，但知道不再可能了。

白日之梦
Te Rerioa

1897
95.1×130.2 厘米
英国伦敦寇特美术馆

伦敦寇特美术馆的《白日之梦》曾经多次吸引我坐在它的对面。

凝视，像是想记忆起什么，却终究只是遗忘。

画面左下角是趴伏在白色卧垫上的婴孩，睡得很熟，睡在很华丽的木雕摇篮里。摇篮一端雕着塔西提的土著婴孩图案，婴儿像是睡在祖先的庇佑里。

高更用艳红的笔触写下“Te Rerioa”（梦）的土著拼音，下面有他的签名，他好像重生在前世的梦里，他到塔西提只是要找回遗忘的久远的梦。

一个上身赤裸的妇人，垂着丰硕的乳房，下身围一白布，很安静地看着我们，右手轻轻摇着摇篮。

高更眷恋的每一个土著女子的肉体似乎都是他前世梦中寻找过的母亲，轻轻推他进入梦境。另一个人物侧坐在后方，仿佛凝视着女人，白色上衣，蓝底白花纹围裙。

一只狗静静卧着，使室内幽静神秘。

这是室内吗？可以眺望室外通向远处山峦的小径上一个骑马离去的男子。在高更后期的画里常常出现的骑马离去的男子，好像婴儿长大了，他要去寻找梦中的原乡。

墙壁上有土著图腾，神秘的祭司，爱，诞生或者死亡，高更叙述着一个不断重复的梦，他说："一切只是画家的梦——"在原作前面，我看到很薄的油彩下透出画布粗粗的经纬线的纹理，带着青黄的午后的光在移动，是热带下午不肯醒来的一次梦魇。

薇玛蒂

Vairumati

1897
73×94 厘米
法国巴黎奥赛美术馆

一名女子坐着，袒露着丰硕健康的肉体，一对如果实的乳房。她大胆地看着我们，仿佛我们的衣冠楚楚反而是一种猥亵。

女子仅下身围着白布，她金褐色的大腿与手臂都粗壮浑圆如巨柱。

女子的身后是木雕的一些图腾装饰，一些不容易理解、却传承着古老文明的符咒一般的符号。

高更在塔西提不断强调“神秘”（Mystery），他或许认为现代文明的贫乏正因失去了古老符咒文化的“神秘性”。

因此，在一大片红色背景中，远处的两名女子的手势究竟在传达什么？近景左侧是一只白色的鸟，脚爪抓着一只绿色蜥蜴，暗喻着什么？

没有人可以解答！

高更只是带领我们进入一个丰富的谜语般的梦境，指给我们缤纷的细节，却从不揭示谜语的答案。

迷人的金红色，像童话中梦的色彩，像夕阳在夏日最后血一般艳丽的绚烂，高更只是告知一种生命的华丽现象。

美丽起来 *Faaiheihe*

1898

54 × 169.5 厘米

英国伦敦国家画廊

高更早期对东方扇面空间产生过兴趣。扇面是视觉横向左右浏览的空间，也包含时间的延续性在内。

一八九八年，高更的这幅*Faaiheihe*明显使用了西方主流美术很少用到的横向空间画法，类似中国绘画里的“长卷”。

我们的视觉移动过梦境一般的热带风景：结满了丰硕果实的植物，缠绕在大树上的藤蔓。似乎是夕阳的光，使整

个丛林闪烁着金色的光芒。人的胴体也是金色的，仿佛梦境里的神祇。

她们采摘盛放的花，插在耳鬓边，用花编成花串、花束，一蓬一蓬的花，像是神话中的乐园。她们仿佛静静聆听着花朵掉落在地上的声音。连狗也回过头，听到一朵花掉落。

塔西提在高更的晚年不像一个现实的世界，是他幻想中的梦境。Faaiheihe，他用学来的土著语言书写在画面上，“使人美丽起来”，据说，那语言像是古老的咒语，念着念着，可以使人刹那间“美丽起来”。

一名男子骑马来了。高更晚年画中的骑马男子像是他自己，从久远的地方流浪而来，回到可以使自己“美丽起来”的地方。画面的金色、黄色、红色，组织成非现实的幻象，高更跟幻象的梦境说：我回来了！

白马
Le cheval Blanc

1898
140×91 厘米
法国巴黎奥赛美术馆

高更后期的作品常常出现马，出现骑士，出现骑在马上的男子渐渐远去。这件《白马》是他后期作品中典型的一张。

幽静罕有人迹的森林深处，一汪宁静澄清的池水，池水中踏进了一匹白马，低头饮水，池水荡漾起一圈一圈涟漪波光。池水是深郁的蓝色，波光是赭红色，似乎映照着森林上端一个骑士的马，马的身体也是赭红色的，停止在绿色草地上。骑士似乎一时决定要远走他乡，一种“高更式”的出走、流浪，一种与此时此地的告别与决裂，一种梦想的探索与追寻。

大树枝丫横伸，遮住我们的视线，但在枝丫后方还是可以看到一名骑在马上的男子，在树林间掉满落花的小径边徘徊，似乎一时不知何去何从。

深郁的蓝、浅青，艳热的红赭、浅粉，高更以缤纷的色彩勾画出一个童话，童话中骑士的故事刚刚开始。

欢乐之家
Maison du Jouir

1901—1902
（上）40×244×2.3 厘米 （左）200×39.5×2.3 厘米
（右）159×40×2.5 厘米 （下）45×204.5×2.2 厘米
法国巴黎奥赛美术馆

一九〇一年，高更最后居住在法属马克萨斯群岛的希瓦瓦（Hiva-Oa）岛。他为自己盖了屋子，也模仿当地土著上山寻找木材做雕刻。高更并没有欧洲学院专业的雕塑训练，但是他知道，土著们同样没有经过训练也一样制作出了美丽的雕刻。

美开始于渴望，并不是技巧！

高更为自己刻了门楣上的装饰，有人像，有花的图案，他用法文刻了《欢乐之家》（*Maison du Jouir*）几个字。

门的两侧各有一长条木雕，很像中国建筑的门联。木雕用土著的粗犷形式，刀法朴拙，刻了人体、动物、花与果实。图案上了色彩，色彩很薄，渗透到木纹中，使木纹的年轮纹理现出很美的质感。

在屋子正面的墙上，高更也都刻了木雕装饰，题了一些法文的句子：Soyez Amoureuses，Vous Serez Heureuses，或 Soyez Mysterieuses。他不断强调“爱”“神秘”，仿佛那是送给西方文明社会救赎的礼物。高更住在“欢乐之家”，他想到遥远的欧洲、法国、工业革命、理性文明，一切物质的富有都越来越远离——欢乐。

Paul
Gauguin

第三部 高更

秘鲁·西班牙贵族·外祖母

高更的故事似乎总是掺杂着许多异乡的流浪、冒险、传奇与神秘。

一般人想到高更，眼前浮现的是他画的南太平洋的塔西提。塔西提岛屿蓝蓝的天空海洋，茂密的热带丛林，丛林间映照阳光的绿色草地，草地上徜徉着慵懒的闲散的土著男女，身上围着色彩艳丽的植物蜡染的花布，女人袒露着饱满丰腴的褐色胴体，一对坚实如椰子的乳房，用黑白分明的眼睛看着我们，不知道是好奇，还是惧怕惊慌。

我们是文明世界的人，偶然闯进高更蛮荒而又富裕的世界，惊吓了那里的人。我们也有矛盾，是不是应该停留多看一眼，还是应该识趣地离开，不再打扰他们？

高更的外祖母弗洛拉·特立斯坦，一生从事女性运动与工人运动。

我们谈论的高更，是一八九一年以后的高更，是离开欧洲去了塔西提的高更。

也许高更身体中“异乡”的血液早已在流动，在他出生之前，那“异乡”的血液已经开始流动。

一九〇三年，五十五岁即将去世的高更忽然写了一些有关他出生以前家族的记忆。

他写到外祖母，他的外祖母是西班牙阿拉贡（Aragon）家族的后裔，高更简短地写着：

我的外祖母是了不起的女人。

她的名字叫弗洛拉·特立斯坦（Flora Tristan）。

高更在信上谈到的外祖母是十九世纪初共产主义的信仰者，自己出身贵族，却把所有的家产变卖，用来支持工人运动。她也为了鼓吹无政府主义，串联工人革命和女权运动，四处奔波。

西班牙当时在中南美洲拥有广大殖民地，西班牙贵族同时是剥削奴役土著工人的大地主。

高更的信上并没有确切说到是不是因为支持工人运动，他的外祖母去了南美洲的秘鲁。

在秘鲁，这位奇特不凡的女子见了她的叔父——唐·皮欧·德·特立斯坦·莫斯考索，一个有爵位的阿拉贡贵族。

高更一生在异域浪荡，在临终的一年忽然写起遥远家族的血缘，好像在寻找自己身体中久远存在的一些不可知的宿命。

高更的外祖父是一名石版画家，名字是安德烈·沙扎尔（Andre Chazal）。

高更对作为艺术家的外祖父谈得不多。

他似乎感觉到自己身上的血液更与母系的外祖母息息相关。

一个贵族出身的女子却放弃财富，投入如火如荼的工人革命运动。她漂洋过海，离开了法国丈夫，到了遥远的秘鲁——充满神秘性的“异乡”，投靠贵族的叔父。

在高更信中的寥寥数语，使人想起南美伟大作家马尔克斯《百年孤独》小说中的故事。

似乎“异乡”是所有背叛者向往的国度。

“异乡”可以背叛阶级，背叛伦理，背叛种族。

“异乡”使一切荒谬都成为可能。

一个西班牙与法国的混血，一个贵族血液与工人革命的混血，一个欧洲殖民文化与秘鲁土著文化的混血……

高更凝视自己的身体，回忆起那个其实他没有什么印象的外祖母，想起自己一生向往的“异乡”，原来是一种宿命。

查阅许多书籍，弗洛拉·特立斯坦常常被冠上“高更的外祖母”的称呼。

也许这个一生从事女权运动与工人革命的女性并不希望依赖盛名的外孙高更而存在。

事实上，从许多书籍上可以看到，一八三二年随母亲到秘鲁阿雷基帕（Arequipa）寻找叔父的弗洛拉，对一八二一年从西班牙殖民总督统治下刚刚独立成功的新秘鲁有很多观察。她在一八三八年出版了旅居秘鲁的日记 *Peregrination of a Pariah*，她在一生从事的弱势者运动的革命中留下了两本重要著作：一八四〇年出版的《伦敦漫步》（*Promenades in London*）以及去世前一年一八四三年出版的《工人联盟》（*The Workers Union*）。

弗洛拉在一八四四年逝世，当时高更还没有出生，但是他以后隐约感觉到那个来自外祖母的西班牙贵族加南美秘鲁印加文化的血液潜藏在基因之中，他也隐约感觉到弗洛拉的父亲——那个当时派驻秘鲁的西班牙海军上校马里亚诺·特立斯坦（Mariano Tristan y Moscoso）——高更的外曾祖父，如何在茫昧的大海中航行，如何带着十六世纪以来欧洲人的狂野欲望，统治着古老印加文化传承下的新的土地，役使当地的土著，搜刮当地的资源，掠夺一切财富，然而， 也面对着翻天覆地的独立革命的反叛与镇压的屠杀。

家族的故事好像很遥远，然而那些在高更出世以前发生的故事，那贵族的自负与自我放逐，那远赴异乡的流浪，那对文明阶级的鄙弃与在野蛮原始中感觉到的粗犷生命力，种种基因，不可思议地联结着家族与高更的关系，联结着母系世代血液与高更的关系。

弗洛拉与高更都出生在法国，都拥有法国国籍，然而他们都背叛了自己的国籍，背叛了自己文明的故乡，他们的心灵中都有一个更为理想的故乡，竟然在遥远的海洋之外、在文明之外。

有一个异乡在呼唤他们，那异乡才是心灵上的故乡。

有一天，无政府主义重要的法国领袖蒲鲁东（Proudhon）跟高更谈起弗洛拉·特立斯坦，他说："你的外祖母是天才！"

高更无言以对，外祖母在他出生前四年去世。高更是相信神秘主义经验的，他一生在白人基督教的主流之外寻找"异教"的信仰，或许，他觉得蒲鲁东赞美的是一个历史上特立独行的女性，而不是他的外祖母。

弗洛拉死去的肉体像许多不可见的魂魄，漂流在南太平洋的风中、在海浪之中、在土著的歌声中，日日夜夜，像一种神咒，召唤着高更，高更终究要回到他宿命中的故乡。

父亲与母亲·革命与放逐

高更的母亲艾琳（Aline Chazal），显然受到了母亲弗洛拉的女性主义及共产主义思想的影响，她与高更的父亲克洛维（Clovis Gauguin）的恋爱与结婚都印证着两个家族的革命血统与自我放逐的传承。

高更的父亲克洛维，是法国十九世纪《民族报》（*Le National*）的政治记者，许多资料都显示了这名记者的反威权与刚直不阿的个性，他在一八四八年的法国政治变迁中扮演了重要角色。

一八四八年二月，巴黎爆发工人革命，走上街头的工人抨击政府任意关闭工厂，致使工人失业，生活无以为继。

工人的街头运动遭到镇压，保守的执政党重新选举总统，以不法手段推举拿破仑·波拿巴（Louis Napoleon）为总统，高更的父亲克洛维当时担任报纸的总编辑职务，不断抨击独裁政权非法的揽权与滥权。

拿破仑·波拿巴在总统的职位上企图发动政变，改变宪法、恢复帝制。高更的父亲克洛维在报纸的社论上揭发拿破仑·波拿巴称帝的野心，因此遭受巨大压力与迫害。

一八五一年，克洛维带着妻子和刚三岁的儿子、四岁的女儿远渡秘鲁，试图逃过政治迫害，也希望在秘鲁继续办报，鼓吹革命，抨击独裁者。

克洛维的理想无法完成，他在远渡秘鲁的路上染患重病，在穿越麦哲伦海峡时血管瘤破裂，不治而亡，留下妻儿，埋葬在异乡的法明那港。

拿破仑·波拿巴一一扫除异己，在一八五一年十二月发动政变成功，恢复帝制，自称拿破仑三世。

克洛维对抗威权独裁的悲剧结局或许只是这个革命血统的家族许多不凡的故事之一。

而童年的高更因为父亲政治上的被迫害与自我放逐，在南美的秘鲁度过了他最早的童年。

三岁到六岁以前，高更都住在秘鲁的首都利马。

他的母系世代都是西班牙派驻秘鲁的殖民官员，秘鲁虽然已经独立，但是旧的殖民势力仍然在地方上拥有权力与财富。

高更说他有超凡的“视觉记忆”。

（上）拿破仑·波拿巴
（下）高更的母亲艾琳

在晚年的回忆中，他具体地描述着在秘鲁度过的童年时光的点点滴滴。

我记得总统的纪念堂，记得教堂的圆顶，圆顶是整块木头制作的。

我的眼前还有黑种土著少女，她总是依照惯例，带一块小地毯，用来让我们在教堂跪在上面祈祷。

我还记得洗熨衣服的中国仆人。

高更的童年回忆是视觉里消除不掉的画面。童年的画面只是一幅一幅图像，没有标题，也没有说明，但或许比所有的文字书写都更具体真实。

他的童年视觉记忆里，也包括美貌的有西班牙贵族血统的母亲：

正如一个西班牙贵族夫人，母亲个性暴烈……最愉快的事是看着她穿着民俗服装，脸上半遮掩着织花面纱，丝绸织花遮住一半脸庞，另一只眼睛露在面纱外，那么温柔又傲慢的眼睛，那么清纯又那么妩媚。

高更在一八九〇年凭借回忆画了一张母亲年轻时的画像，或许，那段流亡异乡的岁月是高更永远忘不了的美好记忆。父亲不幸在政治迫害中流亡，自我放逐，高更却获得了放逐中最大的快乐。

一八五四年，高更随母亲回到法国，回到了父亲的故乡奥尔良城（Orleans），开始接受正规的法国天主教传统教育。然而，高更再也忘不了远在海洋另一边的异乡

母亲的画像 1890

41×33 厘米， 德国私人收藏，凭着回忆，高更画下年轻时的母亲。

与异教文化，他注定了要再次出走。

三岁到六岁的记忆似乎成为高更一生寻找的梦境。

是梦境吗？南太平洋浩瀚蔚蓝，天空晴朗，白云飘浮，映照在蓝色天穹下巨大的教堂圆顶，基督教堂里混杂着西班牙贵族、军人与土著劳动者。

土著黑白分明的眼睛，宽而扁的颧骨，扁平的鼻子，厚而饱满的嘴唇，被烈日炙晒得褐红的皮肤，呢喃着西班牙与土著混合的语言……

那么鲜明的图像留在一个三岁到六岁的孩子脑海中，成为消磨不去、无法被替代的记忆。

然而图像忽然中断了……

六岁以后的高更被母亲带回法国，住在奥尔良，继承祖父的遗产，进入欧洲纯粹的白人的生活中。

图像忽然中断了，或许，因为“中断”，反而变成更强烈的渴望。

高更回到法国，回到文明，回到强势的白种人的欧洲，然而遥远异域的梦境却越来越清晰。此后，他一生只是在寻找着如何回到三岁至六岁的原点，回到狂野热烈的土著文化中，接续起中断的异乡梦境。

他在秘鲁时身边围绕着土著的保姆、女佣，她们朴实憨厚的五官是他童年最美好的记忆，还有那些华人仆佣，他们的黄皮肤、亚洲面孔，似乎都烙印在高更童年最初的记忆中。

画家的记忆不是抽象的文字，而是非常具体的视觉。

是不是童年最初的记忆会成为人一生永远的寻找?

此后高更在艺术创作里只是不断尝试“复制”他的童年的具体梦境。

那些神秘不可解的从古老印加文化传衍下来的图像语言，像一种符咒，像一种瘾，成为他血液中清洗不掉的部分。

他回到法国，回到欧洲白种人的世界，他接受白种人正规的学校教育，然而，他不快乐。他甚至不知道为什么不快乐，他四顾茫然，找不到褐色皮肤、嘴唇宽厚的保姆，找不到脸颊扁平、眼神单纯的亚洲仆佣，他的童年玩伴全部消失了。

甚至连那个头上披盖西班牙丝绸织花面纱的母亲也消失了。

母亲穿着一般法国女人的服装，少了在异域的贵族的傲慢，少了殖民地女性的狂野与妩媚。

高更怅然若失，一个失去童年梦境的男孩，站在都是白种人的奥尔良街头，说着流利的法语，然而他知道这一切都是残杀童年梦境的凶手。

高更终其一生只是想逃离白种人的世界，他憎恶教会学校的规矩，憎恶学校的制服，憎恶法语的优雅文法，憎恶教士们虚伪的笑容与礼节，憎恶主日的烦琐仪式，憎恶白种人自以为是的文明中空洞的装腔作势。

他迷恋着流浪，迷恋着异乡，迷恋一切荒野异域的肉体与原始，迷恋那大片大片走不完的茂密丛林，迷恋那有种动物体味的女性肉体。

他说：我要画出文明社会失落太久的蛮荒肉体的奢华。

海洋·流浪·异域

一八四八年六月七日诞生在巴黎的保罗·高更，却与故乡缘分不深。

一八五一年，由于拿破仑三世发动政变，恢复帝制，高更的父亲克洛维，一名正直大胆抨击政客的报纸编辑，为逃避政治迫害，举家迁往南美的秘鲁。

父亲在途中去世，母亲投靠在秘鲁首都利马的叔祖唐·皮欧·特立斯坦，高更因此度过了在南美三年经历奇特的童年。

一八五四年，高更随母亲迁回法国的奥尔良城，继承祖父的遗产，进入教会办的学校就读。

高更在晚年回忆中说：

我进入了寄宿学校。

十一岁，我升学到教会办的初级中学，进步很快。

然而，那里的教育使我开始痛恨虚伪，痛恨虚假的道德，痛恨制约他人的一切……

高更的南美秘鲁童年显然使他有了对抗白人正统教育体制的基础。

或者说，他在教会学校神职老师的脸上，找不到他在秘鲁土著保姆脸上看到的那种单纯、憨厚、朴拙与真实的善良吧！

在欧洲十九世纪末的美术史上，高更标志着反欧洲文明、反白种人、反中产阶级、反殖民主义、反基督教优越感的原始美学。而那美学革命的背后是一张一张鲜明的童年记忆的脸孔。

美学革命往往是非常具体的画面，不是抽象的思维，也不是空洞的理论。

高更与妻子梅特·加德，两人于一八七三年结婚。

高更在充满了强势优越感的白人世界，用一张一张洋溢异域风格的作品瓦解了欧洲白种人骄傲自大的正统价值。

在阳光下晒得褐红、金赭的皮肤为什么不能比阳伞下尸白、惨无人气的肤色更美？

赤裸健康暴露的胴体为什么不比层层遮掩的阴郁的罪恶感的身体更美？

扁平坦然的五官为什么不能比尖利深凹的眉眼更美？

阳光灿烂下的茂密原始丛林为什么不会比北国荒凉的风景更美?

高更用最具体的画面——雄辩地说服充满傲慢自大的欧洲人深深反省文化走向贫乏的危机。

童年南美阳光下的梦境支持了他建立原始美学，他从十七岁开始，离开了教会学校，第一个选择就是海洋、流浪，寻找异域的梦境。

一八六一年，高更的母亲艾琳迁居巴黎，以做裁缝为生。她不断地叮嘱接近成年的儿子要踏实生活，自谋生计。

十七岁以前，高更在巴黎完成高中学业，开始准备航海方面的专业学习，显然，童年的梦境在召唤他，海洋、流浪、异域，纠结成他一生的梦想。

一八六五年，十七岁的高更终于在一家商业航运公司取得了助理驾驶的职位。

航运公司的船负责法国勒阿弗尔（Le Havre）港经英吉利海峡到南美洲巴西的航运。

高更终于上了船，走向海洋，走向南美洲，走向他童年的梦境。

他第一次的航行到了巴西的大港里约热内卢（Rio de Janeiro），穿越大西洋到太平洋的海上风景使他震撼，而那一幕一幕壮丽绚烂的海上风景只是他童年梦境更具体的印证吧！

一八六八年二月，高更进入法国海军服役，在长达两三年间，他随军舰航行世界各地，足迹遍及地中海、北欧、南美的各个港湾，他在船上担任第三司炉副手。

一八七一年，法国在普法战争中失败，拿破仑三世逃亡，军队解散。高更也因母亲去世回到巴黎，开始了他另一个阶段的生活。

他进入了商界，成为股票市场的经纪人，一年有四千法郎的高薪收入，他来往于上流中产阶级社交圈，开始与来自丹麦哥本哈根的女友梅特·加德（Mette Sofie Gad）恋爱。一八七三年，二人结婚，梅特来自哥本哈根路德教派大使的家庭，看起来，高更生活美满幸福，一连有了四个儿女出生。

但是，隐藏在稳定幸福的中产阶级生活背后，那壮丽的海洋风景，那童年的梦境，那神秘异域的原始荒野，似乎不断呼唤着他。

高更在巴黎的家庭、婚姻、妻儿、财富，似乎仍然只是一个短暂的假象。

他还是要出走，海洋、流浪、异域才是他生命潜伏的本质。

婚姻·家庭·中产阶级

从十七岁开始，漂流于海洋上的水手高更，一直到二十几岁，有过长达六年的航行于海洋异域的生活，因为母亲的去世，暂时画上了句点。

他回到巴黎，处理母亲的后事，认识了母亲的多年好友古斯塔夫·阿罗萨（Gustave Arosa）。

阿罗萨家族是富有的士绅家庭，也热爱美术，有丰富的艺术收藏。

阿罗萨知道临终的艾琳挂记高更的前途，便介绍高更进入当时巴黎蓬勃的股票市场，学习商业经纪的工作。

高更上手很快，他在阿罗萨的帮助下进入巴黎拉法耶特（Lafaytte）街著名的伯廷（Bertin）股票证券公司任职。

高更进入一个纯然商业的中产阶级环境工作，与他早先海洋流浪的异域漂流生活

妻子梅特的雕像 1879

高 34.5 厘米，英国伦敦寇特美术馆

长子埃米尔的雕像 1878 年

高 43.2 厘米，美国纽约大都会博物馆截然不同。

他好像要证明自己的另外一种能力。

他在股票证券商场工作顺利，与阿罗萨家族交往频繁，也因此结识了阿罗沙家族的丹麦朋友梅特·加德，彼此相恋。一八七三年，高更与梅特结婚。 一八七四年到一八八三年，九年间生下四个儿女，看起来幸福美满的婚姻、家庭，中产阶级的事业与生活，却似乎有什么不可知的焦虑与渴望隐藏在平静生活的背后。

稳定富裕，没有挑战性的生活会不会是高更这一类创作力旺盛的生命致命的恐惧?

高更在婚后的信件中细述妻子梅特的教养优雅，他在一八七三年二月九日给赫格夫人的信中说："梅特在法国受人喜爱，她独特的个性、高贵的品位被众人欣赏。所以我总提醒自己是多么幸运，可以选择她为一生伴侣。"

高更信中的妻子是如此没有缺点的。

一八七四年，长子埃米尔（Emil）出生。九月十二日，高更又有致赫格夫人的信，如此详述他的喜悦："他真是漂亮，不只是我们父母这样说，每个人都这样说。他白得像天鹅，又像大力士一样健壮。"

高更在信中对妻子、儿子的赞美和喜悦似乎使人误以为他将长久如此安定在这样的家庭生活之中。

一八七五到一八七六年间，高更初学绘画，画了几张长子埃米尔的素描。也许我们在这些画像中仍然相信一个慈爱的父亲对家庭生活的喜悦，我们在这些画像中看不到一个将要从家庭出走的人任何不安与焦虑的迹象。

高更过了几年典型巴黎中产阶级的生活，更换着豪华的公寓，享受幸福家庭生活，有着稳定体面的职业，交往上层士绅富商朋友，并且，经过阿罗萨的引介，他也欣赏艺术收藏，利用周末闲暇之时到画室学画，因此认识了当时法国印象派的活跃画家毕沙罗（Camille Pissarro）。

高更收藏艺术品，参与创作，最初或许只是他作为巴黎中产阶级的一种品位符号吧！

他会想到艺术创作此后竟然与他中产阶级的家庭形成势不两立的冲突吗？

通过毕沙罗的介绍，高更认识了当时巴黎最前卫的艺术家——塞尚（Cézanne）、马奈（Manet）。

马奈是印象派创始元老，他鼓励高更持续创作，将高更一幅初学的风景画送去国家沙龙大展展览。

一八七四年才成立的印象派团体，很快吸收了高更成为团体的一员，但是，高更似乎还只是“业余”“玩票”，艺术创作的宿命还没有显露，他仍然只是专职股票证券市场的生意人，拥有美满幸福的家庭，闲暇热爱艺术而已。

高更不仅绘画，也创作雕刻。他在一八七八年到一八七九年为妻子梅特与儿子埃米尔制作的大理石肖像，充满细致古典的优雅风格，承袭着欧洲宫廷的新古典美学精神，也似乎透露着他此时的创作与幸福家庭生活不可分的关系。

次子克洛维画像 1886

56.5×40.5 厘米，美国新泽西州纽瓦克博物馆

女儿艾琳画像 1884

20×14 厘米，私人收藏

一八七七年，高更的女儿艾琳（Aline）出生。

一八七九年，次子克洛维（Clovis）出生。

一八八一年，三子让·雷内（Jean-Rene）出生。

一八八三年，妻子梅特怀着第五个孩子，结婚十年的家庭生活忽然出现了不可思议的异变。

高更越来越积极地投入绘画与雕刻创作，忽然决定辞去股票市场稳定的工作，决定专心做一个全职画家。

在高更从股票市场走向艺术的关键时刻，对其产生最大影响的人一般都认为是画家毕沙罗。这段时间，高更写给毕沙罗的许多信一步一步透露了他疯狂地走向艺术创作的过程。

毕沙罗，一个在一八八六年影响了梵高的画家，似乎也同样主导着高更的生命选择。

毕沙罗的魅力究竟何在?

一个无政府信仰者：毕沙罗

对于高更一生产生重大影响的一个人物确定是毕沙罗。

毕沙罗出生在一八三〇年，比高更年长十八岁。

他与高更有许多相似的背景，高更的童年是在南美秘鲁度过的，有海洋与异域的记忆。

毕沙罗的先世是犹太人，但他出生在加勒比海当时丹麦的属地圣托马斯岛。

毕沙罗的家族在美洲、非洲、欧洲之间贩卖干粮，与高更一样，毕沙罗的童年至青少年时期，充满了中南美的海洋与异域风景的记忆。

毕沙罗十二岁才回到法国，接受欧洲的正统教育，而他此后的绘画中不断出现热带椰子树、土著女人与男子。和高更一样，他们的海洋与异域记忆似乎决定了他们一生的性格取向。

市集菜园 1879

66 × 100 厘米，美国马萨诸塞州北安普顿史密斯学院高更早期的作品明显受到毕沙罗的影响，与后期色彩浓郁的犷烈风格大不相同。

一八七四年左右，高更认识了毕沙罗，当时印象派刚刚形成，毕沙罗是这个绘画团体的创始者，也是最热心的成员。

毕沙罗可以说是高更入门艺术最主要的指导者。

高更前期的作品有明显的毕沙罗的影响。

毕沙罗在一八八〇年前后居住在巴黎近郊，刻画出宁静的小镇风景，他在城市边缘的村落小市镇发展出似乎在对抗大都会工商业鼎盛繁华匆忙的另一种小市民美学。

当时印象派的画家大多以大都会的繁华为刻画对象，德加（Degas）画芭蕾舞表演，雷诺阿（Renoir）画中产阶级的绅士淑女，而毕沙罗走向农业衰颓的小镇。

他像是在对抗工商业文明，隐居在农业手工业传统的小镇，想过另一种不介入现代资本消费的朴实生活。

毕沙罗在一八八〇年左右成为无政府主义者，起源于俄罗斯的无政府主义——以暴力与极端手段对抗当时极权的俄国皇帝。然而，法国蒲鲁东一派的无政府主义，提倡以和平与自由意志对抗统治者的压迫与钳制。

蒲鲁东曾经向高更赞美他的外祖母弗洛拉·特立斯坦，因为这位外祖母正是十九世纪三十年代无政府主义中女权运动与工人革命的先锋。

许多相同的因素使毕沙罗与高更成为好友，是艺术创作上的良友，更是思想信仰上气味相投的伙伴。

一八七九年，高更以“市集菜园”为主题的一件风景画作，非常像毕沙罗的风格。

浅绿带暗灰的色调，一方一方近景的菜圃，农人正在田中工作。中景是隐匿在树林间的小镇民居的屋顶。越过红瓦或灰瓦的屋顶，地平线远方是灰蓝色以小笔触画出

毕沙罗画高更，高更画毕沙罗

1880，素描，法国巴黎卢浮宫

的天空，翻腾着忧郁的低沉的云。

这件高更早年的作品与他后期色彩浓郁的犷烈风格大不相同。

这是高更“毕沙罗时期”的画风。

这段时间，高更写过许多给毕沙罗的信件，讨论艺术，也讨论现实生活。毕沙罗显然带领高更进入了艺术创作领域，可是，更重要的，可能同时也促使高更一步一步走向对自己的反省与质疑。

一张一八八〇年左右的素描十分耐人寻味。

这张素描中毕沙罗画了高更，寥寥几笔，勾勒出充满询问的高更的困惑表情。

画面上高更望着纸张的另一边，上面是高更画的毕沙罗，秃头、大胡子、低垂着眉眼，若有所思。

两人深刻的友谊在画中不言而喻，而年轻的高更，似乎走到了人生的两难的关口，不知何去何从，充满疑惑，似乎要求助于毕沙罗的帮助。

当时正狂热信仰无政府主义的毕沙罗会给高更什么建议？

高更当时还是股票市场的专职人员，住在豪宅里，有出身教养良好的美貌妻子，有儿女，收入优渥，家庭幸福。

然而，无政府主义相信每一个个体的自我解放，无政府主义试图把人从阶级、种族、性别、家庭与婚姻制度中解放出来。

毕沙罗的信仰动摇了高更的稳定生活吗？

或者是，高更十年的婚姻与家庭生活已经累积着必须释放压力的需要？

一八八〇年，高更有七件作品参加第五届印象派大展；一八八一年，高更有八件绘画、两件雕刻品参加第六届印象派大展；一八八二年，高更有十二件绘画作品与两件雕刻品参加第七届印象派大展。

显然，高更在艺术创作上的投入越来越深，从一个玩票的业余画家一步一步要逼视自己内在全心创作的狂热意图。

也许现实生活与理想不可能两全。

也许艺术创作的孤独之旅必然逼迫高更做最后的决定。

选择股票市场高薪的工作呢，还是画画？

选择幸福美满的家庭生活呢，还是孤独走向艰难的创作之路？

一八八三年，高更毅然决然辞去了伯廷公司的股票证券工作，家人与朋友都大吃一惊，连一直影响他的毕沙罗也一时错愕。他对高更这样的选择说了一句意味深长的话——高更比我想象的还要天真。

在与文明决裂的信仰上，高更走得比毕沙罗更远。

一八八二年年底，高更给毕沙罗的信中已透露了他对股票公司职业的厌倦，也由于法国股票市场陷于低潮，高更看不到再工作下去的前景。

高更给毕沙罗的信中说："到了某个年纪，不能同时保有两个目标。"

他显然到了背水一战的时刻，为了梦想中的艺术创作，高更必须破釜沉舟了。

一八八二年，就在高更离开股票市场之前，他的一件《花园中的一家人》留下了可能是高更家庭甜美回忆的最后画面：妻子梅特戴着帽子，低头专心编织，儿女在旁边玩耍，摇篮车里躺着入睡的婴儿。花园中的树木扶疏，高高的院墙隔开外面纷扰的世界，院落一角有特别令人珍惜的宁静平和。

这些与高更后期截然不同风格的作品，是高更十年家庭生活的记录。这件收藏在哥本哈根嘉士伯美术馆（Ny Carlsberg Glyptotek）的画作，充满了浅灰的忧伤色调，一个幸福甜美的家庭，却如同将要逝去的幻象，高更意识到这一切存在的虚幻性了吗？

一八八三年，从股票市场离职的高更，立刻面对家庭现实的压力，梅特生了第五个孩子，家庭的负担迫在眉睫。为了解决这不得不面对的问题，十一月，高更决定为了避免住在巴黎的高消费生活，全家搬到外省的鲁昂（Rouen）。

在鲁昂住了六个月，梅特带着新生的婴儿与一个孩子，到哥本哈根投靠娘家生活。

没多久，高更也带着三个孩子到哥本哈根依靠梅娣，却饱受亲戚的白眼。一八八五年，高更不得已又回到巴黎，让妻子梅特带着四个孩子留在哥本哈根，自己只带着次子克洛维。

他在经济上一筹莫展，变卖了前几年收藏的许多作品，生活困顿无头绪。更艰难的是，如此巨大的转折并不是终点，高更已经预感到，没有更彻底的与家庭生活的决裂，没有更彻底地孤独出走，自己的创作不会有任何结局。

一八八六年，他毅然丢下家庭，只身前往法国西部偏远的布列塔尼省，在偏僻的阿旺桥镇（Pont-Aven）住了下来，开始他漂流生活的第一站，他的绘画创作立刻有了明显变化。

花园中的一家人 1882

87×114 厘米，丹麦哥本哈根嘉士伯美术馆

与后期作品风格截然不同，是高更家庭甜美回忆的最后画面。

漂流的第一站——阿旺桥

一八八三年离开股票市场工作的高更显然把自己堵在一个无法回头的路上，他只有一往无前硬着头皮向前走去。

失去职业，没有固定收入，与家人分离，陷在生活的不稳定中，高更前期绘画中的优雅宁谧忽然消失了。

或者他早期画作中的和平宁静本来就只是一个表面的假象？

一个本质上全然是浪子性格的男性却安逸在婚姻家庭生活中十年——他突然醒悟，发现自己内在的浪子本质，笔下的风景出现了犷烈的色彩笔触。

一八八四年，在巴黎、鲁昂、哥本哈根之间漂流的高更，创作了《睡眠的孩子》，还是家庭的主题，一个金发的女孩，趴在桌案上睡着了，桌上放着一只巨大的啤酒杯。

这件作品中出现了强烈的紫蓝色背景，墙壁上似乎是带花的壁纸，用平涂的方法直接以色块连接着前景的桌案。

高更不再是前期印象派的高更，他放弃了合理的透视，放弃了互补的柔和色彩，啤酒杯上的金红色与背景的紫蓝直接撞击。紫蓝壁纸里的装饰图案像是睡眠中孩子的超现实梦境。

高更在画里明显脱离了前期印象派的莫奈(Monet)、毕沙罗、西斯莱(Sisley)……他开始寻找自我，开始挖掘自己深藏在童年梦境里的记忆。

高更已经开始了“野兽派”（Fauvism）与表现主义（Expressionism）的风格，远远离开了当时巴黎流行的艺术潮流。

但是他陷在双重焦虑中，生活现实的焦虑与艺术创作的焦虑。

他的妻子梅特在哥本哈根以教法文和翻译法文小说为生，养活四个孩子。

高更在巴黎带着次子克洛维，常常靠啃干面包为生。他写信给梅特诉说生活的艰难，一八八五年八月十九日的信上说：“我没有钱，没有房子，没有家具——”

他也在同一封信中透露他想到西部的布列塔尼去，他说：“那里生活费比较便宜——”

高更考虑的只是“生活费比较便宜”吗？

或者，在他内心深处，一个遏制不住的走向大海、走向荒野的欲望已经越来越强烈，他必须面对自己不得不承认的浪子的本质，浪子的本质就是不断流浪。

布列塔尼是法国西部濒临大西洋的一省，在巴黎成为繁华大都会的同时，布列塔

睡眠的孩子 1884

46×55.5 厘米，私人收藏

这幅画很明显地脱离了前期印象派，高更开始寻找自我，开始挖掘自己深藏在童年梦境里的记忆。

尼仍然是一个停留在近似中世纪农业时代的地区。居民以种植五谷为生，或出海打鱼，也有部分居民向往海上航行，或为生活所迫，越过大西洋到美洲寻找新的生路，成为海外移民。

布列塔尼在十九世纪后期的法国像被遗忘在历史中的一个角落，充满了与现代文明格格不入的民间传统风俗、传统的宗教仪式、古老的建筑、荒野多丘陵的风景，人民日常生活也充满民俗风的服饰：女性头上的白色帽子、织花的围裙、白色的颈围……对已经高度现代化的巴黎知识分子而言，布列塔尼充满了可以提供怀旧与沉思的对比素材。

一八八〇年以后，高度工业化以后的巴黎，知识分子、文化工作者忽然对农业与手工业传统充满乡愁。

一批批画家、诗人走向布列塔尼，住在传统的民宿中，画画或写作，寻找完全不同于工商业城市的另一种风情。

高更走向布列塔尼当然与整个巴黎文化的怀旧运动有关。

前期印象派的画家马奈、莫奈、德加、雷诺阿……都是歌颂都市文明的。

一八八六年，印象派最后一次大展，高更有十九件作品参展。这一年，标志着新印象主义（Neo-Impressionism）的诞生。

许多印象派的老成员已经获得社会声望，同时也失去创作的挑战，新成员如修拉（Seurat）以全新的点描派风格加入展览，被著名评论家费尼昂（Feneon）称为“新印象主义”，正是对前期印象派的反击。

一八八六年是欧洲艺术史的新纪元，修拉创立点描画派，高更前往布列塔尼的阿旺桥，带动阿旺桥画派，梵高从荷兰到了巴黎，十九世纪末最重要的主导人物都在这一年有了令人瞩目的举动。

高更去了阿旺桥，一个距离大海只有四公里的小渔村。他在一个叫格洛阿内克（Gloanec）的民宿住了下来，高更写信给朋友说：

我感觉到了荒野与原始——

阿旺桥是高更回归原始的第一站，却并不是终点。

一八八六年，第一次到阿旺桥时，高更的作品呈现出巨大转变。

他显然在面对布列塔尼强烈的民俗风传统，他在民间作坊学习制陶，在陶罐上用釉料画画，陶艺中的平面构成与线条元素使他离开了早期绘画的光影表现。

蓝色釉料与白色釉料是平涂的色块，以黑色线条分界，树枝也如同东方水墨中的线条，像书法，在二度次元空间中隐喻三度空间，而不是模仿三度空间。

高更颠覆了文艺复兴以来西方主流绘画不能放弃的透视法（Perspective）。

他的视觉忽然得到了解放，不再是主流艺术被限制住的学院视野。

高更迷恋着民间一只粗陶碗上的花色，迷恋起一个村民家门口的木材雕花牌子，迷恋起节日里一个女人围裙上的织绣，甚至迷恋起几个布列塔尼女人手牵着手的舞俑……

那些看起来与学院美术无关的视觉，却使高更迷恋如此。

他似乎记起了他的童年，在遥远的秘鲁，那土著女人手上拿的小织花地毯，那些印加文化的古老图案。

高更找回的或许只是童年梦境中的一些片段。这些片段不是学院美术所谓的技巧或风格，这些片段是高更生命中最重要的组成部分。这些片段从童年开始一直积淀在他记忆的底层，在他离开了股票市场的工作、离开了家庭妻子儿女之后，当他一个人孤独地走到阿旺桥的海边，在布列塔尼荒野的风景中，这些沉积的片段就一一浮现出来。他要捕捉那些色彩、那些图案、那些古老原始文化中符咒般的符号，他像一个解读符咒的巫师，那些他人用理智无法理解的符号，对他而言，竟是通往生命深处的密码。凭借这些密码，他走回了童年。

陶艺作品

（左）1886—1887 年，高 29.5 厘米
比利时布鲁塞尔皇家美术馆
（右）1886—1887 年，27×40×40 厘米
私人收藏

高更从民间传统艺术中撷取主流学院所不知道的丰厚养分。

渐行渐远的妻子梅特

高更早期的画作中，妻子梅特与儿女是重要的主题。

一八七九年，他画了一张《缝纫的梅特》，梅特侧面坐在室内，光线有点暗，背景是直条纹的壁纸，墙上挂着画和一把土耳其弯刀。

梅特上身围着披肩，低头专心缝纫。她的面前是一张铺织花桌巾的桌几，上面置放着缝纫用的剪刀、布、线轴，一只有提把儿的小篮子。

作为高更的妻子，梅娣从一八七三年到一八八三年高更离开股票市场，与高更有十年稳定的家庭生活。

梅特是丹麦哥本哈根上流社会士绅阶级的女儿，教养极好，她似乎一直扮演着好妻子与好母亲的角色。

一八八三年，高更突然离职，家庭经济陷入困境，梅特带着孩子投靠哥本哈根的

缝纫的梅娣 1879—1880

116×81 厘米，挪威奥斯陆国家博物馆

高更早期的画作中，妻子梅特与儿女是重要的主题。

娘家，靠教法文与翻译为生。

梅特可能无法了解浪子个性的丈夫以后四处漂流居无定所的奇怪生涯，但她一直负担着孩子的生活，甚至一直帮助有名无实的丈夫追求自己的艺术创作与冒险。

高更在流浪的途中写了许多给梅特的信，看得出来，高更的许多画作是通过梅特展览或出售的，梅特从妻子变成了丈夫的“经纪人”。

一八八四年，高更还画了一张《穿着晚礼服的梅特》。

梅特梳着高髻，胸前垂着珠宝项饰，穿着低胸粉红色绸缎晚礼服，戴着金黄色的长手套，右手拿着一把东方折扇，侧坐在椅子上，姿态优雅。

这件作品画于一八八四年，高更已经离开股票市场一年，梅特带着孩子回到哥本哈根。

从高更给梅特的信来看，后者在哥本哈根很在意亲戚们的眼光，梅特的士绅阶级家族使她必须努力装扮成贵妇人的形象，而此时高更已经失业，陷入经济困境。高更在信中直率地表达了对梅特在亲戚面前感觉到卑屈的了解，他在一封信中跟朋友说：

梅特心情不好，她受不了贫穷，特别是贫穷伤了她的自尊虚荣之心，在她的故乡，每个人都认识她——

这张《穿着晚礼服的梅特》是高更在理解妻子的心灵受伤之后，一种补偿性的凝视吗？

穿着晚礼服的梅特 1884

65×54 厘米，挪威奥斯陆国家博物馆

画中的梅特是欧洲白人上流社会典型的贵妇人，十九世纪的欧洲绘画中歌颂的“美”的典范。

画中的梅特是欧洲白人上流社会典型的贵妇人，在十九世纪的欧洲绘画中，一直被歌颂的“美”的典范。

然而，似乎从这张画开始，高更与梅特渐行渐远。

高更心里潜藏着的女性之美是更原始的，是恰好与画中贵妇形态的梅特相反的。

高更走向荒野，走向原始，他试图在土地中找到更粗犷有生命力的女性，像热带丛林间流淌着旺盛汁液的植物的花或果实。他要的女性之美，不是珠宝，不是人工香水，不是流行的服饰品牌，他要拥抱一个全然真实、没有伪装的热烈的肉体。

梅特很难了解自己的丈夫，高更美学上的探险完全超出了她白种上流社会女性的思考范围。

许多西方的女权运动者同情梅娣，高更在塔西提寄回了他与土著女子新婚的画给梅特，女权主义者当然可以指责高更的男性沙文自我中心多么自私。

然而，十九世纪整个白种欧洲殖民主义的优越感被高更的美学彻底粉碎了。高更在美学上的颠覆是后殖民论述里重要的一环。

作为一个欧洲白人，作为一个殖民统治的优势方，高更在妻子与塔西提土著中的选择或许隐喻着后殖民趋势的反扑。

当然，梅特是没有选择的，她负担儿女，负担家庭，甚至负担背叛她的丈夫，她仍然是性别殖民中的牺牲者。

《穿着晚礼服的梅特》之后，这个欧洲优雅的白人贵妇从此就不再出现在高更的画中了。

也许高更并不是全然不负责任的父亲，在一八八九年的流浪途中，他在写给梵高的弟弟提奥（Theo）的信中说（十二月十六日）：

梅特从哥本哈根来信，我的儿子从三楼摔下去受伤，送到医院，刚脱离危险。

如果你卖掉了我的木刻，请立刻寄三百法郎到下面的地址——

高更夫人

51 Norvegade

Copenhagen，丹麦

这样的信件可以稍稍平息女权主义者对高更抛妻弃子的愤怒与指责吗？

或者，在更深的美学议题上，高更与梅特的渐行渐远可以作为整个殖民文化中令人深思的一环。

高更的背离欧洲文明是否标志着一次深沉的殖民美学的反省？

肤色、种族、阶级、殖民，高更只是把这些议题还原到美学上来解决。他的美学抵触了欧洲殖民统治的自大与自信。

高更使被殖民的肤色、种族和阶级重建尊严。

扇面・异域・塞尚

高更早期的风景画深受前期印象派影响，这些风景画多是户外写生，但也多是单一视点，画家站在一个固定的点，面对眼前的风景做写实的记录。

一八七九年，拜访毕沙罗住的蓬图瓦兹（Pontoise）后画的《苹果树》，用细碎的小笔触捕捉自然光下明暗的变化。自然光是前期印象派对欧洲传统风景画的革命，莫奈、雷诺阿、西斯莱……都走向大自然，直接追求阳光中的户外景色，也重新思考“光线”与“色彩”的关系。

前期印象派没有解决的“视点”的问题，却在后期印象派的塞尚与高更身上变成了思考重点。

塞尚是第一个思考“视点”移动与风景画关系的画家。

如果我们不固定一个“定点”，我们任由自己的视觉“浏览”大自然的风景，我

苹果树 1879

88×115 厘米，私人收藏，用细碎的小笔触捕捉自然光下明暗的变化，画风受前期印象派影响。

们在“移动视点”中画画，会是什么样的结果？

其实，东方的绘画，特别是中国宋元时期的绘画，一千年来，就是在“移动视点”下画画。

中国的画家并不在“定点”写生。

中国的画家总是游山玩水，“浏览”大自然壮丽景象，最后凭借“记忆”“印象”，完成《长江万里图》一类的画作。

《长江万里图》，不可能在一个固定的“定点”中写生。

因此，西方绘画有固定比例的画框，中国的绘画却多是“立轴”或“长卷”。

“立轴”是上下视点的移动。

“长卷”是左右视点的移动。

印象派画家接触到东方艺术，收集日本浮世绘版画，他们开始好奇东方画家看待风景的态度为什么与西方画家不同。

例如：东方画家为什么喜欢在折扇上画画？

“扇面”一直是中国与日本绘画的重要形式。

文人画家喜欢在手中的扇子上画画、写诗，一扇在手，好像有许多空间与时间的悠游。

高更在一八八五年前后很显然思考到东方扇面绘画形式的意义。

他留下了一些以“扇面”为练习的画作。

一件扇面的《鲁昂风景》，大概创作于他一八八四年住在鲁昂之时。

在西方油画布上框出东方式的扇面，在扇面的曲线中布局结构。

高更敏锐地感觉到东方绘画中空间与时间的延续性。

同一个时间，塞尚也在思考这个问题。

《鲁昂风景》中实体的房屋与从林被分散在左右两侧，西方绘画重要的“中央”构图部分反而是“留白”。

如果不从东方绘画的视觉经验来分析，可能无法了解这件小小作品的定义。

高更要借扇面构图打破西方绘画主流中的“定点透视”，他使自然风景在空间艺术的绘画中有了时间的延续性。

另外一件创作于一八八五年的“扇面风景”题名为《塞尚仿作》（*After Cezanne*），高更显然与塞尚一起在思考西方风景画中的视点移动问题。

扇面——塞尚仿作 1885

27.9×55.5 厘米，丹麦哥本哈根嘉士伯艺术博物馆

高更与塞尚都在思考东方扇面美术与西方不同的视点移动问题。

塞尚在普罗旺斯的晚年，日日面对风景，他解构风景，重组风景，使自然还原到本质，不再是传统西方画家用“透视焦点”限制住的自然。

或者说，在一八九五年电影艺术出现之前，塞尚与高更都发现风景画不一定局限在照片式的景框中，自然风景的视点更应该像电影，可以上下左右移动视点。

高更追随塞尚的研究，以中国式的扇面仿作了塞尚风景，东方异域的美学比西方学院主流的绘图给高更更多弥足珍贵的经验。

一直到一八八九年，高更的绘画中还延续着对东方式扇面的思考。

《扇面静物》这件收藏在巴黎奥赛美术馆的作品，主题是前景的静物水果，但背景展开的一幅扇面，如同中国长卷，仍然是高更关切的视觉主题。

一把折扇，拿在手中，可以一格一格打开，如同电影，画面不是立刻全部呈现，而是在时间的延续中陆续展开。

东方现代画家可能已经遗忘或忽略了的扇面意思，却在高更的画中找到了知音。

扇面静物 1889

50×61 厘米，法国巴黎奥赛美术馆，前景是静物水果，背景却是一幅扇面，高更仍在关切扇面主题。

布列塔尼——人与历史

高更从一八七三年开始接触绘画，一起手就与当时的前期印象派有了来往。

他最早的绘画有许多毕沙罗的影子，关心光线，关心笔触。

到了十九世纪八十年代，高更主要的影响来自两个人，一个是德加，一个是塞尚。

在前期印象派中，塞尚一直是特立独行者，他并不急于去描写现实中的风景，而是更深沉地进入事物本质，尝试分解事物内在的元素。

塞尚以最后长达二十年的时间在法国南方的普罗旺斯创作，把自然的本质一一分解，建立了现代绘画新的结构元素，也为他在二十世纪初赢得了“现代绘画之父”的美誉。

高更很早便发现了塞尚的重要性，并且也尝试用塞尚的方法来观看自然风景。

德加在前期印象派中以绘画人物为主题，一般人熟悉的他的作品是以“芭蕾”或“剧院”为主题的创作。但是，十九世纪末，德加重要的作品是许多构图大胆的人物

静物 1886

46 × 38.1 厘米，美国印第安纳波利斯艺术博物馆

高更在两位重要的大师塞尚和德加间学习，自己的美学还没有完全成熟。

画，这些人物画大多数是他的爱人（也是著名女画家）卡萨特（Cassatt）的特写，戴帽子的、洗浴的……各种日常生活的细节，不同于当时一般人物肖像画的郑重性，德加使人物画产生了日常一般生活的“偶然性”。

高更非常赞赏德加，两人相处极好。一八八六年，高更的一件《静物》，桌巾上的苹果以黑色线条勾勒，像极了塞尚的画风，而画面右上角忽然闯进的一个男子的侧面，充满了“偶然性”，全然是德加实验的人物画风格。

高更在两位重要的大师间学习，他自己的美学还没有完全成熟。

一直要到一八八六年，他去了布列塔尼，在阿旺桥面对传统民间文化中的人民，人民身上割除不掉的历史，高更才开始有了自己美学的起步。

一八八六年，他初到布列塔尼，看到田野间的牧羊女，穿着传统服装，坐在山坡上，望着吃草的羊群，一切都如此宁静，好像天长地久，自然风景中的人，数千年来这样生活，这就是所谓的历史吗？

高更离开了巴黎的繁华，离开现代文明虚浮的伟大，忽然看到了土地、人民、历史，看到了一种宁静而永恒的力量，他的美学开始起步了。

也许高更美学代表着欧洲现代都会文明整体的反省。

人需要这样快速的都会节奏吗？

工商业都会的生产与消费方式是人类最理想的生活吗？

远离土地的都会现代人为什么觉得空虚而疏离？

不断追求物质财富的现代都会生活是否失去了精神信仰的重心？

一连串西方工业与商业文明产生后的疑问一个一个浮现。

并不只是高更在思考，整个十九世纪末的欧洲知识分子都在困惑物质追求与精神质量的两难问题。

高更在最具指标性的巴黎股票市场工作了十年，他或许对商业消费文明体会更深。

高更的回归土地、回归传统、回归原始信仰，不只是理论思维的结果，也是十年都会商业生活具体经验的结果。

因此，高更从都会商业文化的出走也更具行动的力量吧。

高更坐在布列塔尼的田野间，看着一动不动低头吃草的牛和羊，白的黑的牛羊，不仔细看，以为它们是洪荒就留在草地上的石块。

牧羊女坐在较高的山坡上看着牛羊，她也一动不动，好像从洪荒开始就在那里，一直没有动过。

对习惯了都会文明快速节奏的高更而言，这样永恒不改变的自然秩序与生活秩序可能都使他惊讶吧！

都会消费的物质生活永远追逐新颖流行，追求摩登（Modern），有什么会是永恒的信仰？

高更初到布列塔尼，凝视着天地的永恒，山川的永恒，季节的永恒，他凝视着永恒的黎明与黄昏，凝视着土地上人与历史的永恒。

这样永恒的存在，并不因为物质的简单而慌张焦虑，相反地，土地中的人与历史，似乎比都会繁华（或浮华）中的人与历史更笃定踏实。

高更不只是在思考自己的艺术，也在画布上重新建构人类对永恒的信仰。

他的画面改变了，天空、土地、山坡、树木、牛、羊、少女，全部组合成一种秩

牧羊女 1886

60.4×73.3 厘米
英国泰恩—威尔郡美术馆
在布列塔尼的阿旺桥，高更的美学找到了起点，从土地、人民、历史与传统重新出发。

序，这里没有被突出的“主角”。

有点像东方古老的山水画，人不再是天地间特别被凸显的“主角”。人表现出大自然中一种与其他生命可以达成“天人合一”的和谐状态。

高更在素描纸上特写了牧羊女，黑色的炭笔线条勾勒出清晰的轮廓，白色头巾、白色围裙、木头鞋的布列塔尼少女。

这特写的“牧羊女”一旦放进整张画中，忽然不再是轮廓鲜明的黑线。她成为大自然中存在的一部分，并没有特别成为“主角”。

这一时期，高更研究布列塔尼传统民俗作品——编织、木雕、陶瓷。他发现这些民俗艺术都和都会文明中的美术不同，没有个别的人物是主角，如同一张织毯画，叙述一个宗教故事或历史，总是使人在故事与历史中有一定的定位，与周遭的环境自然合在一起。

高更重新在画面上构图，这些构图不再是欧洲学院绘画的中心主题形式。

生活中的布列塔尼人，不会因为高更画他们而停止生活，他们有时正好背对高更。高更素描着一个布列塔尼女人的背部，白色头巾在脑后系住，有两条飘带。女人双手叉腰，旁边环绕着三

布列塔尼女人素描

1886，48 × 32 厘米
苏格兰格拉斯哥伯勒尔博物馆
高更用黑色的炭笔线条勾勒出牧羊女和布列塔尼少女清晰的轮廓。

名同样穿民俗服装的布列塔尼女人，都是侧面，右上角有男子在远处劳动，左上角有远远觅食的鹅群。

高更使生活中的人回到生活，她们不是为画家的艺术才存在的。她们不会为画家摆姿态，她们是自己生活的主人，她们的服装、动作、表情，都是现实生活中的样貌。都会里的人觉得她们是“艺术”，那是都会人的大惊小怪，她们并不因此改变自己。

高更的美学找到了起点，从土地、人民、历史与传统重新出发。

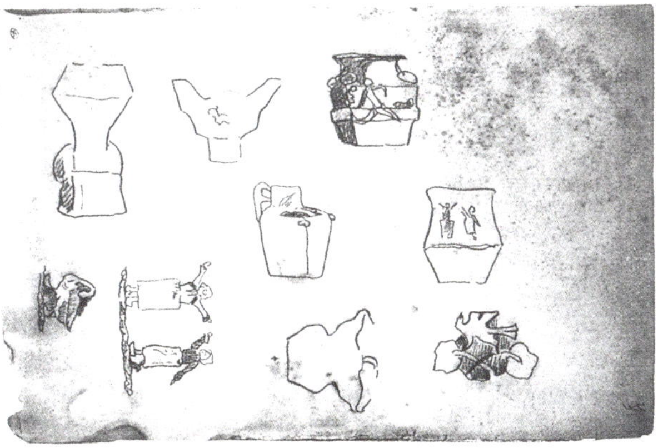

陶艺草图手稿 1886

法国巴黎卢浮宫

陶艺作品

1886—1887，高 14 厘米
丹麦哥本哈根装饰艺术馆
1886—1887，高 13.5 厘米
法国巴黎奥赛美术馆

四位布列塔尼妇女 1886

71.8×91.4 厘米
德国慕尼黑新绘画陈列馆
高更笔下的人，不是为画家的艺术才存在的，
她们是自己生活的主人。

梵高兄弟

一八八六年冬天，高更结束第一次在布列塔尼的旅程，回到巴黎，认识了刚从荷兰到巴黎的梵高。

梵高的弟弟提奥在巴黎古比西（Coupil & Cie）艺术经纪公司工作，他此后长期经纪高更画作的出售，甚至固定预付高更酬劳，使高更有稳定的收入可以维持生活及旅行。

高更认识梵高的一八八六年冬天，正是两个人都陷于生活最低潮的时刻。

高更无法照顾远在哥本哈根的妻子和儿女，常常自责绝望到要结束生命；梵高与妓女西恩（Siam）刚刚分开，所有宗教的狂热与爱的梦想全盘幻灭，孤独到巴黎投靠弟弟。

两个完全相似的绝望生命，却共同燃烧着艺术创作不可遏止的热情，他们似乎在对方的绝望中看到了自己的绝望，他们也似乎在对方燃烧着热情的眼神中看到了自己的热情。

高更与梵高的相遇像不可思议宿命中的时刻，相互激荡出惊人的火花。

短短的相识，短暂的撞击，很快两人就分道扬镳，一八八七年高更远渡重洋，去了西印度群岛的马提尼克，梵高在巴黎停留一年，一八八八年也走向法国南部的村庄阿尔（Arle）。

但是，他们的缘分没有结束。

一八八八年十月，他们要重聚在阿尔，要一起共同生活两个月，更巨大的撞击将在一年后发生，他们历史的宿命纠缠在一起，还没有结束。

一八八七·马提尼克岛

在布列塔尼将近一年的生活，可能使高更彻底地反省了自己前十年的都会生活。

很难想象一个在股票市场上工作了十年的白领阶层的中年男子，远离了熟悉的都会商场，坐在偏远的田野中，看着劳动中的人民，他心里在思考什么。

布列塔尼并不是高更的终点，对他而言，他要去更遥远的地方找回自己，童年的南太平洋、热带、异域的风景，海洋以及土著的传统原始信仰，变成越来越急切的呼唤。

一八八七年，高更和一位年轻画家朋友查尔·拉瓦尔（Charles Laval）去了南美洲，穿过刚刚开通的苏伊士运河，前往西印度群岛中的法国属地马提尼克（Martinique）。

高更血液中一直存留着欧洲殖民主义下异域文化的深沉记忆。

十六世纪以来海权强国的欧洲白人在全世界霸占殖民地。三百多年来，亚洲、非洲、美洲、大洋洲，许多土地被欧洲的殖民船队占领。西班牙、葡萄牙、英国、法国、德国，欧洲的列强在全世界瓜分土地，无视当地人民的历史、文化、传统，不但剥夺了当地人民的资源，役使当地的劳动力，同时也任意践踏了土著人民文化传统的尊严。

非洲的人种在十九世纪或许只是美国奴工贩卖市场的一种货物。

殖民主义破坏了土著文化原有的秩序，摧毁了当地的传统信仰、语言、生活习惯和美学价值。

欧洲的白种人走过所有殖民的土地，歧视每一种有色人种的文化。

褐色、黄色、红色、黑色，各种肤色的种族一概在白色种族的统治下失去了美的可能。

然而，殖民主义的霸势美学下潜藏着一种颠覆的力量。

童年有过殖民地生活经验的欧洲白人知识分子，如高更或毕沙罗，他们思考起各种肤色人种都有美的价值的可能。

一八八七年，高更千里迢迢重回他童年记忆中的西印度群岛，马提尼克岛屿上的风景如此犷烈丰富。

高更画下了《马提尼克风景》，前景是大片褐红色的土地，一株高高的阔叶树，树梢结着红的、绿的色彩鲜明的果实。一丛低矮茂盛的灌木开满了白色的花。远处是环绕着碧蓝大海的山丘，丘陵的画法使人想起塞尚，一种近似中国宋元山水的皴法交错，组织着山石的肌理。

这种东方皴法式的小笔触不断出现在高更一八八七年停留在马提尼克时的风景画中。

高更在热带的岛屿上行走，在绿色的草丛中有被当地土著来来去去踩出来的红褐色的泥土小路，小路上有居民头顶着箩筐走近，路旁有蹲踞在树荫下的男人、女人，看着吃草的羊群。

岛屿上土著踩踏行走出来的那条红褐色小路是否对高更别具意义？

土著悠闲缓慢的生活方式在这僻静的角落似乎还没有受到殖民主义者的骚扰。

高更或许会蹲下来，尝试跟土著们交谈，他们的语言不同、肤色不同，知识背景与社会阶级也完全不同，但是，高更努力想要学习另外一种被欧洲白人殖民者摧毁与践踏的文化。

但是，一八八七年，高更在马提尼克对异域文化的观看还是比较远距离的。

他似乎怕惊扰了土著们的宁静，他选择了比较有距离的视点去观察。

海岸稀疏的树木下蹲坐着的土著，色彩艳丽的宽袍十分夺目，他们好像在海边贩卖水果。远处海边也有头上顶着箩筐的小贩，一片碧蓝的海湾。

大部分时候，高更马提尼克的风景画里的人物都很远，他还不敢靠近，似乎他也意识到自己就是骚扰了当地土著文化的欧洲白人。

他憎恶殖民主义的粗暴肤浅，但是，从土著的眼光来看，他何尝不是入侵的殖民主义者？

高更走向异域，需要更彻底地脱胎换骨，他发现“异域”其实是自己心灵的“故乡”。

一八八七年马提尼克的短暂停留是否是高更重要的转折点？他将要对自己走向“异域”的行动有更本质的思考。

一八八八年二月，从马提尼克回到巴黎的高更有一封给妻子梅特的信，其中或许透露了高更巨大的内心冲突：

马提尼克风景 1887

116×89 厘米，英国爱丁堡苏格兰国家画廊

近似中国宋元山水的皴法交错，组织着山石的肌理。这种东方皴法式的小笔触不断出现在高更停留在马提尼克时的风景画中。

从你的信上我看到你心智上的障碍，跟所有布尔乔亚的女人一样。

社会上就是两种阶级，第一种阶级生来就是资本家，他们天生有钱，不用靠工作赚取生活，他们天生就是老板。另一种阶级是没有资本的，他们怎么存活？——当然是靠自己的劳动。

高更在给梅特的信上直接定位妻子是“布尔乔亚的女人”，高更以十九世纪主流思潮的社会主义观点把自己界定为“劳动者”的角色，他必须靠自己的劳动存活，不是靠类似股票市场的资金炒作。

高更与许多十九世纪优秀的欧洲知识分子（如梵高、毕沙罗……）一样，相信一个更公平、更合理、更没人剥削人和人压迫人的未来社会，他们都鄙视布尔乔亚。

以这样的观点到马提尼克一类的法属殖民地，高更自然会对自己身上的“殖民者”身份有不安与愧疚，而他最后完全投身于南太平洋塔西提文化美学的信仰，自然是他一系列思考最后的结果。

梅特的信上似乎在担心孩子的未来以及不稳定的经济收入带来的焦虑。

高更或许恰好在追求一种“不稳定”，他希望生命不断挑战更新的难度，经历更新的冒险。

他觉得一个薪水稳定的公司职场员工只会使生活贫乏鄙俗（如同他十年的股票市场经验），因此，他认为，一个民族的繁华文明、一个民族最有创造力的元素反而是看来不稳定的“艺术”。

一八八七年，高更在马提尼克岛的思考是整个欧洲殖民文化深沉反省的一环。

殖民主义霸道粗暴的掠夺主流中最早的反省力量来自文学与艺术。一些浪子型的波希米亚艺术家，如同诗人波德莱尔（C. Baudelaire）、兰波（A. Rimbaud），如同画家高更、梵高、毕沙罗，以及更晚一点的毕加索，他们重新发现“异域”文化的巨大魅力。他们抛弃欧洲白人传统美学的主流，在殖民文化的强势中反而凝视起弱势者文化中悠久的历史美学。

一八八七年十月，高更从马提尼克回到巴黎。高更和梵高在左翼的社会思潮上有共同的认知。梵高从基督信仰的基础走向对矿工、农民、社会边缘人的同情，与高更从被殖民的原始文化走向对异文化的尊重，同样是十九世纪末欧洲社会良知深沉人道主义的共同反省，他们的反省通过美学的形式来完成。

一八八八·布道后的幻象

一八八八年二月，梵高启程到阿尔寻找他绘画世界的梦土。高更第二次启程去阿旺桥，这一次在布列塔尼停留了八个月，一直到一八八八年的十月，因为梵高一封信一封信地催促，高更才离开阿旺桥，与梵高在阿尔相聚。

一八八八年，重回布列塔尼，高更的绘画有了明显的变化。

同样是以阿旺桥的女性为主题，高更的《跳舞少女》与之前的作品比较成熟了很多。

作为一个画家，高更自己独特风格的美学形式渐渐明显了。

在黄绿色的土地上，戴着白头巾、肩披白色领巾的布列塔尼少女，三人手牵着手，围成半圆，载歌载舞。她们神态自若，好像在庆祝节日，胸前佩着红花。

高更在第二次去布列塔尼的这件作品中，明显摆脱了前期印象派或毕沙罗的小笔触对光的描绘。

他更在意“色彩”——“色彩”本身的强度，青黄的土地，白色的头巾和颈围，红色的花。色彩本身变成一种语言，不再只是物理上的写实，似乎更具备象征的内涵。

高更在一八八八年九月画了一件重要的作品：《布道后的幻象》（《雅各与天使搏斗》）。

高更的画作，开始于画面左下方的一群布列塔尼妇女，她们穿着传统服装，参加礼拜天在教堂的布道，听教堂神父讲述《圣经·旧约·创世纪》第三十二章的故事。《圣经》中的以色列先民雅各整个晚上与天使在搏斗，经历漫长黑色困顿里灵魂的挣扎，一直到黎明。

高更画中的布列塔尼妇人，听完布道，走出教堂，有人低头祷告，有人看到隔着一株歪斜的苹果树，远处空地上，雅各正与有翅膀的天使在搏斗，布道中的幻象在画中变成了真实。

高更自己觉得这种画对他非常重要，一八八八年九月下旬，他在写给正在阿尔的梵高的信中，详细叙述了这张画作：

一群布列塔尼妇人在祈祷。她们的衣服是深黑色，头巾是明亮的米白色。最右侧的两个头巾像怪物的头盔。

画面中央横过一棵砍断的苹果树。一簇一簇深紫黑的叶子，像祖母绿宝石的云，形成绿色与阳光的金黄斑点。

土地是纯净的朱红色，教堂的阴影使另一边土地变成暗褐红。

天使穿海蓝色衣服，雅各是酒瓶绿。天使的翅膀是明亮铬黄色（chrome yellow），一、

跳舞少女 1888

73×92.7 厘米，美国华盛顿国家画廊

作品成熟了很多，明显摆脱了前期印象派或毕沙罗的小笔触对光的描写。

天使头发是铬黄；二、天使的脚是肉橘色（flesh orange）。

我想：我完成了一幅作品，简单、质朴、神秘。

在这封给梵高的信中高更把自己的画做了这么详细的叙述。

高更特别强调的是“色彩”，连不同颜色的“明黄”“铬黄”“橘色”，都加以批注。

当时梵高看不到原画，高更在信上附了素描，高更好像在信里希望梵高可以借着细节的描述“看”到真实的画面，充满色彩感的画面。

这张《布道后的幻象》是高更美学的关键作品，他脱离了印象派的“写实”，也脱离了欧洲学院主流美术的“写实”。

他使现实中的布列塔尼女人和她们脑海中的布道内容（雅各与天使）并存在画面中。

我们的梦并不是现实，但可以是“真实的”，我们的“幻象”、我们的“渴望”都不是“现实”，但可以是“真实”。

高更把西方主流绘画带向心灵与象征的世界。

很多人认为高更开启了此后的象征主义（Symbolism）流派，使欧洲艺术重新大量使用及破解古老神秘宗教经验或原始巫术文化。

也有人认为高更这张画中超现实的景象开启了欧洲以后“超现实主义”（Superrealism）的心理美学层次。

更多学者从这件《布道后的幻象》中大胆的主观色彩谈到二十世纪初深受高更影响的“野兽派”（Fauvism）和“表现主义”（Expressionism）。

总之，《布道后的幻象》打开了欧洲绘画新美学的许多扇窗户，高更也借此建立了他个人的风格以及在整个艺术史上的影响地位。

在布列塔尼的这一段时间，高更似乎极渴望朋友了解他孤独实验新美学的结果。

他画的一张《搏斗的小孩》，描绘了在水边草地上两个布列塔尼男孩的打斗情形。他也写信给梵高，同样在信纸上用线条勾勒了这张画的草图。

布道后的幻象（草图）

1888，荷兰阿姆斯特丹国立博物馆

高更在给梵高的书信中，画了这幅草图。

高更反复在给梵高或贝尔纳（E. Bernard）或舒芬内克（E. Schuffenecker）的信中谈到“绘画的非写实性”，强调“绘画并不在于复制模仿自然”，强调“绘画的抽象性”。

他与梵高一样，在东方的艺术里找到许多非写实性的表现形式。之前，高更曾经对东方扇面构图充满研究的兴趣，这个在中国明清两代至少流行了六百年的绘画元素给了高更许多灵感。

他也和梵高一样，喜爱日本浮世绘版画。他们收藏浮世绘，并不是把这些作品当“古董”。

他们确实在浮世绘中找到了足以对抗欧洲写实绘画主流的精神。一八八八年，高更的一件《波浪》作品，采用了很高的视点，从上而下，鸟瞰海边岩礁四周回旋翻腾

布道后的幻象 1888

73×92 厘米，英国爱丁堡苏格兰国家画廊

这张画开启了象征主义（Symbolism）流派，打开了欧洲绘画新美学的许多扇窗户，也奠定了高更在整个艺术史上的影响地位。

搏斗的小孩（习作）

1888，60×40 厘米
法国巴黎私人收藏

搏斗的小孩（草图） 1888

荷兰阿姆斯特丹国立博物馆
在写给梵高的信中，高更用线条勾勒出《搏斗的小孩》的草图。

的海浪。在黑色的岩礁四周，他用线条勾勒出的白色浪花和粗黑线条的水纹，一看就知道是受了日本浮世绘的影响。东方元素激荡着高更的创作风格，或者，更确切地说，高更，或梵高，在十九世纪末，针对欧洲强势的主流美学，他们反而革命性地吸取世界各地广大弱势文化中的元素，试图弥补欧洲主流艺术越来越趋贫乏的危机。

他们从民俗、偏远地区、土著、原始的美学中汲取养分，用来丰富自己，也丰富此后继续保持生命力与创造力的欧洲文化。

孤独地对抗主流文化十分辛苦，梵高如此，高更也如此。这时梵高在法国南方的阿尔，高更在法国西部的阿旺桥，他们用自画像记录着自己孤独中的面容。高更的自画像阴郁而沉静，背景的黄色壁纸上有一朵一朵仿佛从天空飘降下来的花。

高更在画的右下角写下了“悲惨者”（Les Misérables）这句法文，也写下“致梵高”的字样。如同东方画家那样，他也大胆地将文字题词直接插入画中。

画面的右上角以绿色背景画出高更在布列塔尼的画家朋友贝尔纳的侧面像，用血红的颜色勾勒出的侧面，皮肤仍是绿色。

这些元素都以“象征”的方式在画面自由上组合，没有写实上的关系。

自画像——悲惨者 1888

45×56 厘米，荷兰阿姆斯特丹梵高美术馆

如同东方画家那样，高更大胆地将文字题词直接插入画中。右下角有法文“悲惨者”，并题了“致梵高”。

搏斗的小孩 1888

93×73 厘米，私人收藏

描绘两个布列塔尼的男孩在水边打斗，这张画也是高更实验新美学的成果之一。

波浪 1888

72.6×61 厘米，法国巴黎装饰艺术博物馆

一八八八年十月至十二月，梵高与高更

一八八八年初开始，在布列塔尼的高更与在阿尔的梵高通信频繁。他们在信中讨论着各自在绘画上全新的实验，他们都把对方当作是创作上最能了解自己的知己，倾吐所有在寂寞创作中自己最内在的心事。

遥远的距离或许产生了最美的友谊的幻想，梵高创作了一张杰出的自画像，送给高更；高更也画了自画像，送给梵高。

他们相互激荡出了创作上的火花，两人的风格都逐渐达于巅峰。

梵高狂热渴望高更到阿尔，两人共同生活，一起画画。

他为高更准备房间、家具，甚至特别为高更的房间手绘了墙壁上的装饰。

梵高为高更画了《向日葵》，他要把这南方阳光下的盛艳之花送给高更作为迎接他到来的礼物。

一八八八年十月初，高更到了阿尔。

高更在阿尔留下了一些作品，如《阿尔的老妇人》。此时，梵高的画作充满浓烈的情绪，色彩常常是明度很高的黄，笔触狂暴，一层一层叠成纠缠浓郁的肌理。

然而似乎刚好相反，高更这一时期的画作特别沉静，画面越来越趋向大色块平涂的技巧。他笔下阿尔的妇人，披着暗黑的围巾，在风景中若有所思，有一种不可言宣的苦闷。

梵高精神亢奋的狂热并没有感染高更，他们日日夜夜在一起作画，常常画同一个主题、同一片风景，但是观看的方式完全不同。

梵高画过阿尔的《夜间咖啡屋》，是彩度极端对比的红色的墙、绿色的弹子台、黄色的灯光，有一种陷入精神高度亢奋的错乱。

高更同样画了《夜间咖啡屋》，他以咖啡屋老板娘“吉诺夫人”（Madame Ginoux）为主题前景，穿着黑衣、围白领巾的吉努夫人，坐在台前，一手支颐，似乎无奈地斜视着身后那些在她的咖啡屋中的流浪汉。

这是一家附设在火车站的廉价咖啡屋，常常有游民流浪汉在这里泡一整晚，或者就趴在桌上睡着了。

高更也用到墙壁的红、弹子台的绿，但是色彩被一种黑色压暗，和梵高画中强烈的对比不同，高更的画面有一种深沉的冷静，他好像要刻意过滤掉梵高画中过度高昂的情绪。

就是在阿尔这段时间，高更在十二月给画家贝尔纳写了一封信，谈到自己与梵高的巨大冲突：

阿尔的老妇人 1888

73×92 厘米，美国伊利诺伊州芝加哥艺术中心

高更这一时期的画作特别沉静，笔下阿尔的妇人，披着暗黑的围巾，在风景中若有所思，有一种不可言宣的苦闷。

我在阿尔完全失去了秩序。我发现一切事物都这么渺小，没有意义，风景和人都一样。

整体来说，我跟梵高彼此都看对方不顺眼。

特别是绘画上，梵高赞美杜米埃（H. Daumier）、杜比尼（Daubigny）、辛燕（Eiem）和伟大的卢梭（Rousseau），所有我不能忍受的家伙。

而我喜爱的安格尔（D. Ingres）、拉斐尔、德加，他都厌恶。

我跟他说：老友，你对！

只是为了获得暂时平静。

他喜欢我的画，但是我一开始画画，他就东批评西批评。

他是浪漫的，我却可能更要素朴（Primitive）。

这一段信上的记录大约透露了两位伟大的创作心灵在现实生活中碰到的困扰与难题。

他们生活在一起，缺乏了各自独立的空间，缺乏了各自完全面对自我的孤独时刻。

没有完整的孤独，不可能有纯粹的自我，创作势必受到干扰。

在信中，梵高喜欢的画家杜米埃等人都是主题意识特别强的社会主义画家，而高更提到自己喜爱的安格尔、拉斐尔、德加，都在技巧与形式元素上有更大的革命。

两位自我如此强烈的创作者，都在为各自的创作做巅峰的冲刺，其实很难分心去理解对方的需要。

高更留下了一张很精彩的《梵高画向日葵》。

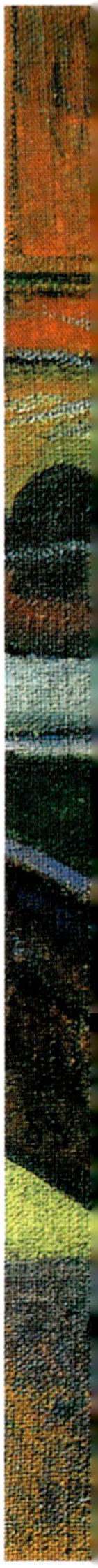

吉努夫人素描 1888

56.1×49.2 厘米，美国旧金山艺术博物馆

高更与梵高在艺术上有全然不同的风格与向往，他们都需要纯粹与孤独。

夜间咖啡屋 1888

73×92 厘米，俄罗斯莫斯科普希金美术馆

高更以咖啡屋老板娘“吉努夫人”为主题前景，画面有一种深沉的冷静，好像要刻意过滤掉梵高画中过度高昂的情绪。

梵高左手套着调色盘，右手执笔画画，他的眼睛正看着左下方一簇插在蓝色瓶罐中的向日葵。

画面的背景是绿、黄、蓝大面色块的平涂，没有笔触，没有情绪的起伏。

看惯了梵高《向日葵》原作的强烈，被色彩的明亮和笔触的狂野震撼，忽然会发现高更似乎要极力使亢奋的情绪转化成更内敛的静定。

高更在原始艺术、民间艺术中看到一种包容，即使是生死爱恨，也都有一种平和素朴。

高更恐惧梵高的激情，他感觉到那激情中精神的躁郁不安。

同居两个月，十二月二十四日，高更在与梵高争吵后彻夜不归。在寒冷的阿尔街头游荡，他发现梵高跟在后面，手中拿着剃刀。高更落荒而逃，住在旅馆，不敢回去。

这一天晚上，梵高拿刀割去了耳朵。第二天警察报告高更，高更通知了梵高的弟弟，自己整理行李，匆匆离去，结束了他在阿尔的行程，也结束了他与梵高共同创作的梦想。

各人的生命必须各人独自去完成。

此后两年，梵高辗转于精神病院，画出他最精彩纯粹的绘画，在一八九〇年七月二十七日自杀。

而高更在梵高自杀后远渡重洋，到了塔西提，在最原始的土著文化中找到自己宿命的终点，他还有十多年的路要走。

梵高用短短两年时间激发淬炼出生命最美的精华，高更却是用更大的平静与耐心去回归原始，找到内敛而饱满的另一种生命美学。

一八八八年十二月中旬左右，高更与梵高的关系显然恶化，高更写信给梵高的弟弟提奥求援：

我急需你从卖画款项中给我一些钱。

我急需回巴黎！

梵高和我都发现我们不可能平静共同生活。

我们性格不合，我们彼此都需要和平宁静的工作秩序。

梵高是有伟大才华的不凡人物，我极看重他，但是，抱歉，我必须离开。

在同年的十二月二十日左右，距离梵高割耳事件只有三四天，高更再一次致函提奥，希望提奥尽快寄旅费让他回巴黎，这封信上，他提到“画了一张‘梵高画像’，题名《画家与向日葵》”。

高更写道：

我新近完成一幅你哥哥的画像，大约30号的油画，我给它一个名字：《画家与向日葵》。用的是全视野的视角。也许看起来不太像，但我想这张画表现出一些内在性格。

高更为梵高画的《自画像》，以及他最后画的《梵高画向日葵》目前都收藏在阿姆斯特丹梵高博物馆，作为两个伟大画家短短两个月共同生活的永恒纪念。

一八八九·阿旺桥·勒普尔迪

一八八八年十二月二十四日梵高割耳事件之后，高更迅速离开阿尔，回到巴黎。此后两年，梵高大部分时间在精神病院，高更则来往于布列塔尼的阿旺桥和更偏僻的勒普尔迪（Le Pouldu）村。

梵高与高更之间通信仍然不断，梵高在精神病院中一封一封书信记述着他寂寞中的心事，高更也仍然在回信中详细叙述他的作品，两个人都像是在向最亲密的知己讲述自己，然而，或许他们只是找到一个借口在独白。

一八八九年一月初，刚从病院出来、头上包着纱布、正在画《割耳自画像》的梵高收到高更的信，盛赞梵高的作品：

你的《向日葵》对比黄色背景，我觉得是完美风格的典范，完全是你自己的画风。

我也在你弟弟那里看到你画的《播种者》，也非常好……

两人不提往事中的不愉快与冲突，各自鼓励着对方。

他们或者借这一次的相处更清楚认知到创作路途必须完全一个人孤独去走。

一八八九年以后，高更的画风更为成熟，他笔下的布列塔尼女人已经到了总结的时候，在《美丽的安洁莉》一画中，白色头巾、白色胸围，颈项上垂挂着十字架的布列塔尼女人，胸前的刺绣针织花纹，围裙上的装饰，变得非常精细。

高更把《美丽的安洁莉》框在一个如同镜子一般的椭圆框中，好像挂在墙上的一幅画。

背景是极具装饰风格的花朵，以及摆置在台几上的一件民俗风格的陶质人像。

画面上用印刷体字体写着“LA BELLE ANGELE”（美丽的安洁莉）的题词，中国式书法与绘画的融合再一次影响了高更。

一八八九年十月，高更到了勒普尔迪，一个滨海的渔村，他寄宿在一个小民宿，认识了荷兰来的犹太画家——梅耶·德·海恩，两人变成好友。

高更与德·海恩都一贫如洗，两人便说服民宿的女主人玛莉（Marie Henry）让他们修整民宿来抵房租和食膳费用。

他在一八八九年十月二十日左右写信给梵高，当时梵高还被囚禁在圣雷米精神病院。

梵高画向日葵 1888

73×91 厘米，荷兰阿姆斯特丹梵高美术馆

高更为梵高画了这幅画像，似乎要极力使亢奋的情绪转化成更内敛的静定。

美丽的安洁莉 1889

92×73 厘米，法国巴黎奥赛美术馆

高更的画风更为成熟，他笔下的布列塔尼女人已经到了总结的时候。

中国式书法与绘画的融合再一次影响了高更。

他告诉梵高：

我了解你独自在普罗旺斯的处境。你上一封长信我延迟回复。我知道你很想知道你关心的朋友的现况。

我跟德·海恩有伟大计划，我们在装修民宿来换三餐。

我们刚开始画第一面墙，我们将把四面墙都画满，也包括要重新制作彩色玻璃窗。我们学到很多，这是值得做的事——

高更像是在劳作的工匠事务里寻找缓解自己忧郁感的方法，画墙壁，制作壁画、彩色玻璃窗，这些中世纪以来一直存留在民间的传统工匠艺术仿佛给了他很多灵感与安定的力量。

他画了自画像挂在自己门口，又画了德·海恩的像，也挂在他的门口。有点近于游戏性质的这两件作品，德·海恩的一件充满灵异的气氛。他在这一年间好几次“处理”这个荷兰画家朋友，包括用陶土塑的德·海恩像，以及一件取名《涅槃》（*Nirvana*）的油画，德·海恩像是中世纪的僧侣，又像是古老寓言中的先知，尖削的瘦脸，两只尖锐犀利的吊梢眼，大胡子，充满神秘灵异的气氛，似乎高更借着德·海恩进入了一个完全破除理性的神奇幻想世界。

他迷恋起中世纪，迷恋那些古老的符咒、寓言，那些拥有先知魔法不可思议的奇幻世界，他似乎相信存在着比理性更巨大的感知的力量，在宇宙不可解的中心，有什么声音在传诵，如同恒久以来破解不了的魔法。

高更觉得真正伟大的艺术具备符咒与魔法的力量。

他相信创作是一种神的附身，他画了自画像，一个在红色与黄色色块间的男子头像，有两个苹果，手中似乎夹着一条蛇，头顶有一个黄色的光环。

高更像先知一样戴着光环出现了，他仿佛要宣告什么重要的预言，凝视着下界的众生。

在布列塔尼，大部分人仍然生活在近似中世纪的宗教传统中，平时认真勤劳工作，从事农田中粗重的劳动，礼拜天则在教堂敬神，把一切生活所得的平安都归之于神的庇佑。在工商业大都会生活的消费功利形态中，传统信仰迅速流失，高更如同当时的许多艺术家，走向小镇。米勒(F. Millet)等人十九世纪五十年代就走向巴比松(Barbizon)，梵高走向阿尔，高更走向阿旺桥、勒普尔迪，都似乎在寻找都市工商业生活中人类流失的信仰。

一八八九年，高更的一件《黄色基督》，似乎回到了中世纪的宗教信仰的坚持。

涅槃 1890

20.3×28.3 厘米

美国康涅狄格州哈特福德公共艺术博物馆

高更迷恋起中世纪，迷恋那些古老的符咒、寓言，那些拥有先知魔法不可思议的奇幻世界，他觉得真正伟大的艺术具备符咒与魔法的力量。

自画像 1889

79.2×51.3 厘米，美国华盛顿国家画廊

高更像先知一样戴着黄色光环出现了，他仿佛要宣告什么重要的预言，凝视着下界的众生。

黄色基督 1889

92.1×73.4 厘米，美国纽约州水牛城诺克斯美术馆

高更重要的作品，画里有一种中世纪宗教画的平静，回归到了宗教最本质的心灵的素朴。

在一片布列塔尼的山丘风景中，高更在画面正中央突出了钉在十字架上黄色身体的基督。

十字架下方围坐着三名布列塔尼的妇人，穿着传统服装，她们安静地坐着， 似乎在守护着古老的信仰。

如同高更在一封信上说的：布列塔尼人，不知道巴黎，不知道一八八九年。他们仍然生活在天长地久没有改变的传统中，勤劳工作，虔诚信仰。

《黄色基督》是高更重要的作品，画里有一种中世纪宗教画的平静。与文艺复兴以后西方绘画中对肉体的夸张不同，高更反而回归了宗教最本质的心灵的素朴。

一八八九年，高更还处理了《橄榄园中的基督》这一类的宗教画，描写基督被逮捕前在橄榄园中独自祈祷的画面。

对高更而言，古老的宗教并不遥远，他在布列塔尼，感受到宗教传统就在人们生活当中，人们完全相信布道的言语、《圣经》的记载，并以这些言语做自己生活的指

橄榄园中的基督（手稿）

1889，荷兰阿姆斯特丹国立博物馆
高更给梵高的书信中所画的手稿

橄榄园中的基督 1889

73×92 厘米，美国佛罗里达州诺顿画廊

宗教画，描写基督被逮捕前在橄榄园中独自祈祷的画面。

自画像 1889

38×46 厘米，法国巴黎奥赛美术馆

高更以“黄色基督”为自画像的背景，似乎隐喻着承担苦难与赎罪的意识。

导，信仰变得极其真实。

一八八九年，高更的另一张自画像，把自己与“黄色基督”画在一起。

“黄色基督”成为自画像的背景，又像是一种庇佑，也似乎隐喻着画家承担苦难与赎罪的意识。

高更把当代的自己与古老信仰结合在一起，组织成充满隐喻性的象征空间。

高更在一八八九到一八九〇年间，接触了更多布列塔尼传统的民间艺术，包括玻璃彩饰花窗、木雕、陶艺。

这些民间传统的艺术形式像丰富的养分，使他更意识到学院主流美术陷入狭窄技巧的贫乏性。

他大胆使用木雕方法在木板上镌刻出心中的图像，在木刻上的凹凸上再加彩色涂饰，这种在当时主流欧洲艺术中无以名之的表达方式，混合了雕刻与绘画，混合了量体的质感与色彩的华丽，创造了独特的风格。

而这种表达形式长久以来就存在于许多不同民族的原始艺术中，布列塔尼有这样的传统，台湾兰屿的达悟人在独木舟上也有同样的彩饰木雕，南太平洋的塔西提也有一样的艺术形式。

高更获得了一种自由，他打破了欧洲主流美术的众多障碍界限，回到最原始的表达的渴望，使他的创作如花一般绽放了。

一八八九年，他的一件彩饰木雕，题名叫作《能够爱，你将会快乐》（*Soyez Amoureuses et Vous Serez Heureuses*）。

在同年十一月给梵高的信中，他详细叙述了这件作品：

我用两个月完成一件彩色的木刻画，我敢说这是我最好的作品，主题对很多人可能觉得疯狂——一个怪物（就像我自己）抓住一个裸体女人的手。远景有城市、乡村，有一些想象的花朵。一个忧伤的老女人，一只像先知一样的狐狸。

虽然题词说：能够爱，你将会快乐。

但画中的人物看起来很悲哀。

显然，在木雕中，高更的表现更粗犷原始，没有欧洲主流绘画的限制，他创造了完全自由的创作形式与符号。

一八九〇年八月，高更在勒普尔迪得知梵高自杀死亡的消息。他写了一封短简向梵高的弟弟提奥致哀，他说：

梵高是我真正的朋友，一位艺术家，这个时代少有的人。

高更同时也写了一封信给两人共同的朋友贝尔纳，他说：

……我听到梵高的死讯，我很高兴你参加了葬礼。

你好，先生 1889

捷克布拉格国家美术馆

要更神秘 1890

彩饰木雕，73×95 厘米，法国巴黎奥赛美术馆

高更的美学进入极神秘的领域，航行向宿命中的南太平洋，遥远海洋中的塔西提岛似乎一直有声音在召唤他。

能够爱，你将会快乐 1889

彩饰木雕，97×75 厘米，美国马萨诸塞州波士顿美术馆

混合了雕刻与绘画，混合了量体的质感与色彩的华丽，在木雕中，高更的表现更粗犷原始，创造了独特的风格。

死亡或许悲哀，但我并不那么忧伤，我知道死亡会来，我知道这家伙在与疯狂挣扎有多么痛苦。这时死亡或许是莫大的喜悦，解脱了他最终的痛苦。如果他转世（如同佛家所说），他会获得此世的善果福报——

高更与梵高都接触了东方佛教，相信轮回转世，梵高给高更的自画像试图把自己画成日本和尚，“把自己献给永生之佛”，对高更而言，古老的信仰不只是中世纪基督教，也如同东方佛教或原始土著的神秘信仰，都似乎有巨大召唤心灵的力量。

一八九〇年，他创作了一件彩色木雕，题词刻着：

要更神秘（Soyez Mysterieuses）——

画面是一裸女，仰面在呼唤什么，右上角是一傲岸的侧面人物，左下角是一中世纪风格的圣徒般的人物，手掌向上，似乎在布道。蓝绿色的背景像是汪洋大海，一波一波浪涛，却又像一朵一朵的花——

高更的美学进入极神秘的领域，他不再以欧洲美学的形式创作，他离弃理智，全凭感官的沉迷来开启自己内心不可知的神秘领域，不多久，他便要远离欧洲，航行向宿命中的南太平洋，遥远海洋中的塔西提岛似乎一直有声音在召唤他。

塔西提——宿命的故乡

一八九一年四月，高更启航，从法国南方的马赛港，经过苏伊士运河、澳大利亚、新喀里多尼亚（New Caledonia），抵达他梦想已久的塔西提。

他的第一封信从塔西提寄出是在是年六月，所以这一次的海上航行大约是两个月。

当时塔西提是法国属地，高更带着政府艺术文化部门的正式文件与介绍信，必然有许多方便之处。

但是，高更或许不同于一般欧洲白人的殖民者，他来塔西提，不是为了度假，也不是观光。

在英国与法国相继统治之后，塔西提原有的土著文化事实上已被破坏。

欧洲白人带来强势的清教徒或天主教基督信仰，把原住民的宗教视为异教，把原住民的许多信仰仪式视为愚昧迷信。

失去童贞 1890—1891

美国弗吉尼亚州克莱斯勒艺术馆

塔西提也有大量中国的移民，带来不同的生活习俗与信仰。在混杂的文化现象中，高更试图重新找到当地原住民的纯粹信仰，或许他必须每一刻省视自己作为一个欧洲白种男性的内在优势，才可能重建他与当地土著的平等对待。

欧洲霸权与被殖民的地方文化，白种人与有色人种，男性与弱势群体，高更一八九一年选择了塔西提，其实是选择了把自己置放在十九世纪欧洲殖民主义的刀刃上。

他要如何与诸多两难的矛盾和解，建立他一贯的美学信仰？

在巴黎，欧洲先觉性的知识分子都在反省殖民文化，以武力与文明的强势奴役另一个种族、剥削另一个种族、侮辱与践踏另一种文化是正确的吗？

欧洲先进的文化工作者陆续在文字书写、艺术等各个领域介绍殖民地的文化，试图以平等的方式对待不同文明。

但是，在学院书斋或都市沙龙中的议论是比较容易的。

高更在巴黎也曾经隔着遥远距离赞赏来自日本、印度、非洲、南太平洋岛屿的各类艺术作品。

他童年的南美洲记忆，也或许因为隔着遥远年久的岁月，剩下的都是美丽如梦幻的画面。美丽，但不一定真实。

一八九一年，踏上塔西提土地的高更必然面对着许多冲突，气候的郁热，水土不服，高更在长期航行中罹患重病，他必须对抗所有现实与梦想的巨大落差，重新建立自己面对真实殖民文化的种种尖刻议题。

也许，绘画是最好的，也是最诚实的自我反省。

在语言隔阂的寂寞中，高更画下了最早的塔西提。

素描里的塔西提女人有着特别安静的表情，像一尊古老的东方的佛。

高更从初到一个陌生地方的焦虑、紧张、恐惧中慢慢缓和了下来。

身体从病痛中痊愈，或许也正是他心理与精神上复原的开始。

他坐在塔西提海边，无所事事，他可能发现自己身上还存留着那么多商业都会中所形成的功利性与目的性。

想很快捕捉塔西提的美，不是非常功利的目的吗？

这些人千年来这样生活着，他们应该为欧洲来的白种人改变生活的习性吗？

高更看着海边躺卧的女子，一头乌黑发亮的头发，扎着白头巾，长长地垂在背后。一个侧面仿佛在沉思的女人，右耳上端夹着一朵白色的蕃槴花。

上身穿着白色的上衣，露出被日光晒得褐红健康的手臂。

她的下身围着一条红底白花的布裙，长长地盖到脚踝。

远处是一波一波的海浪，从深黑暗蓝的远处冲来一排排白色浪花。近处海的颜色变成透明的宝石绿，然后是金黄色的沙滩。

塔西提女人·在海边 1891

69×91 厘米，法国巴黎奥赛美术馆

在语言隔阂的寂寞中，高更画下了最早的塔西提。

女子低头沉思，好像在谛听浪涛一波一波的节奏。像一首古老的歌，使人入梦，使人只是天地间的一个婴孩，还在宇宙的母胎中沉睡。

另一个穿粉红长裙的塔西提女人，手中拿着一株草，盘坐在沙滩上，有着警觉的眼神。

是不是高更打扰了她们的宁静？

一个欧洲来的白人，一个白种男性，如此靠近她们，观看她们，她们能够继续悠闲无事地徜徉在海涛阳光中吗？

高更要如何克服自己作为一个“外来侵入者”的霸气，才可能看到真正未被干扰的塔西提？

警觉的高更，一步一步用绘画与当地被欧洲殖民主义弄得支离破碎的土著文化建立沟通的关系。

他在画中“观看”塔西提人，然而，塔西提人当然也在“观看”高更。

双重的“观看”记录下两个不同种族、不同语言、不同文化的初次交会。

高更真的进入塔西提土著文化中了吗？或者他一切的努力仍然只是一个欧洲白人一厢情愿的梦想？

高更画出了塔西提的美，海洋的纯净，阳光的明亮，人的尊严与沉着……

高更在塔西提的作品被一件一件送回欧洲，在巴黎、哥本哈根展览、出售。

高更想卖掉这些画来维持自己和家人的生活开销。

虽然画卖得不好，却得到很多评论家的赏识。

欧洲上层社会的知识分子借着高更的画有了对殖民地或幻想、或反省的不同反应。

然而，高更的画在塔西提是没有观众的。

或者说，坐在海滩上的女子无法理解高更为什么要画她们。

她们看到高更笔下的自己，或许好奇，或许羞赧，或许高兴，但是，终究她们是无法理解高更的意图的。

一个在股票市场忙碌了十年、追逐财富的都市人，或许因为看到高更的《塔西提女人》一时会有对自己生活的反省，或许会利用一个假期去画中的海边走一走，晒一晒太阳，但画作未必对这个人的生活产生根本的改变。

然而，显然二十世纪的一百年，欧洲白人兴起了到热带、海洋岛屿度假的热潮。

也许高更引介了另一种生命价值，这些被当时欧洲白人认为“贫穷”“落后”的塔西提人，在高更的画中，他们在悠闲的海边多么“富有”与“进步”。

一八九一年六月底，初到塔西提的高更给妻子梅特的信中这样叙述塔西提的夜晚：

我在初夜时分写信。

塔西提夜晚的寂静这样独特。

只有这里可以这么寂静，鸟的叫声也不会打扰这寂静，四处掉下的枯叶的声音也

戴花的女子 1891

丹麦哥本哈根嘉士伯雕塑博物馆

不喧嚣，像是心里颤动的细微的声音。

土著们在夜晚行走，赤脚，非常安静。

我开始了解为什么他们可以在海滩上一坐好几个小时，彼此都不言语，忧愁地凝视着天空。

我觉得所有这些都逐渐侵入我的身体，我得到神奇的休息。

高更在塔西提寄回欧洲的第一封家书像一种诗句，可以感觉到他在那遥远的岛屿中获得的平静。自高更以后一百多年来，所有都会文明中被工商业的消费节奏压迫得喘不过气的生命，似乎仍然在寻找一样的慰藉。

高更信上的句子也许是他画《塔西提女人》这一类绘画的最好批注。

梵高以最后的两年进入精神病院，在纯粹的寂静中完成自己；高更是以最后十年进入塔西提，在绝对孤独的岛屿上完成自己，他所说的“寂静”是心灵上彻底与外界的决裂。

火之舞 1891

72.6 × 92.3 厘米，耶路撒冷以色列博物馆

1892 · MANAO TUPAPAU

高更一八九一年抵达塔西提，最初几个月住在帕皮提（Papeete）村。不久，他觉得帕皮提太繁华文明了，已经沾染了太多法国外来殖民文化的影响，于是，又迁居到比较偏远的马塔耶阿（Mataiea）村。

高更一步一步清洗自己身上欧洲白人殖民主义者残存的遗留。

他不要在塔西提做度假的游客，他更确切地知道，他来塔西提，是清洗自己身上欧洲白种人的都会遗留的。

他要真正从内在的精神上转换自己，变成塔西提人。

他读了一些较早的人类学笔记，如一八三七年莫兰胡（Jacques-Antoine Moerenhout）写的《大洋岛屿游记》（*Voyages Aux Les Du Grand Ocan*），了解书

马利亚 1891

113.7×87.7 厘米，美国纽约大都会博物馆

高更的绘画形式改变了，他的画作有了热带的风景，有了当地土花布大胆的装饰风格，有了毛利土著褐黑的肤色。

中对塔西提岛屿毛利（Maori）族文化传统的记录。

高更开始学习当地的语言，和当地人生活在一起，了解他们的习俗、宗教和传统。

他的绘画作品中出现了毛利人语言的拼音—— Ia Orana Maria。

画面前景是刚采收的丰腴饱满的果实，草地上站着一个毛利女人，身上围着红底大白花的布裙，她的左肩上跨坐着一个小男孩，娇宠地头靠着母亲。

母亲和孩子头上都有光圈，就像欧洲中世纪的基督教圣像，也正是画的题目标明的“马利亚”，圣母与圣婴。

远远有两名毛利女人走来，双手合十，似乎充满敬拜的表情。

这件背景中环绕着热带阔叶植物与花朵的作品，却是以非常欧洲基督教的主观处理的画面。

高更是在用基督教的观点来看待毛利人的信仰吗？

高更的绘画形式改变了，他的画作有了热带的风景，有了当地土花布大胆的装饰风格，有了毛利土著褐黑的肤色……

然而，高更一定意识到自己摆脱不了根深蒂固的欧洲白人的意识形态。

殖民文化并不是在营销外在的生活形式，殖民文化更是要彻底取代被殖民者的精神信仰。

高更能够满意毛利人扮演起基督教“圣母”与“圣婴”的角色吗？

或者，高更在塔西提的一系列创作只是不断地把他推到更矛盾尖锐的主题——究竟什么是真正的“殖民”？

一八九二年，高更面临着巨大的挑战！

他创作了一件被艺术史家争论不已的伟大作品——《亡灵窥探》（*Manao Tupapau*）。

Tupapau 是毛利语中的“亡灵”，类似一般民间说的“死神”。

毛利人惧怕“亡灵”，尤其在黑夜，他们觉得“亡灵”在黑暗中窥探，好像等待机会把生灵带走。

所以毛利人晚上总留一盏灯、一点火光，使“亡灵”无法下手。

一八九二年，高更给他已经十六岁的住在丹麦的女儿艾琳写毛利人的故事、传说、寓言，后来编辑成《给艾琳的笔记》，其中有文字，也有插图叙述这个传说。

高更在一八九六年六月与毛利族一个十三岁的少女同居。这个少女叫蒂阿曼娜（Tehamana）。

在高更重要的笔记小说《诺阿诺阿》（*Noa Noa*）中，他给这个少女取名蒂蝴拉（Tehura）。

《诺阿诺阿》里写到的一个情节正是高更在《亡灵窥探》中表达的画面—— 高更新婚不久，一个人深夜从帕皮提回家。

深夜回到家中，一片漆黑，他走进屋子，划了一根火柴。

刹那间，他看到新婚不久的蒂蝴拉全身赤裸，趴在床上，侧着脸，流露出极其恐惧害怕的神情。

Manaò tupapaù

亡灵窥探 1892

73×92 厘米，美国纽约州水牛城诺克斯美术馆
高更似乎看到全身黑衣的亡灵在窥探少女，亡灵就在屋内，这么近，少女丰美青春的肉体岌岌可危。

高更忽然想到毛利人惧怕亡灵、惧怕死神、惧怕黑暗的习俗。

高更似乎看到全身黑衣的亡灵在窥探少女，亡灵就在屋内，这么近，少女丰美青春的肉体岌岌可危。

高更以这个事件为主题创作了《亡灵窥探》。

全身赤裸的少女胴体黑褐丰腴，饱满如初熟的果实，她俯卧在白色的床单上，侧面的脸露出黑白分明惊恐的眼神。

床后黑帽黑袍的男人，似乎脸上戴着面具，正在凝视着床上的女子。

亡灵的头顶上端有高更书写的毛利语拼音 Manao Tupapau。

高更也给他在哥本哈根的妻子梅特的信上谈到这张画，谈到毛利女人对“亡灵”的惧怕，提到他在画中用到的色彩的关系。

高更在给女儿、妻子的信上，或笔记小说等不同的地方，对《亡灵窥探》的叙述不完全相同。

《亡灵窥探》像一个谜、一个猜不透的谜。

高更占有了一个毛利少女的肉体。

他仿佛在进入一个土著女子肉体的过程中试图完成他自己“净化”的仪式。

一个欧洲白人，一个男性，一个殖民者，少女的肉体正是他“殖民”的对象吗？

许多社会史家、后殖民论述者、女权主义者都在议论这件作品。

画中女子肉体与所有欧洲艺术史上的裸女都不一样。从提香（Tiziano）的《乌尔比诺·维纳斯》一直到马奈的《奥林匹亚》，欧洲的女性裸体都是正面的、愉悦的、自信的。

毛利少女如此惊慌恐惧，如同大难临头，无处躲藏。

高更用毛利人的“亡灵”传统解释少女的恐惧，然而，谜语的深处会不会是少女对高更的惧怕?

欧洲的白种男子在殖民时代的岛屿会是另一种“亡灵”的逼近吗?

少女肉体的姿态是非常性感的，高更新婚后，这少女即是以这样的肉体姿态供养她欧洲的白人男主人吧!

一件作品，纠结了解不开的谜，使艺术史争论不休。

也许，重要的并不是结论，而是高更真实记录了他与一个土著女性间的关系，充满了多面的矛盾、欲望、爱恨、生死、文化的沟通与误解、占有与背叛……

高更自己也不能完全解读，他只是没有退路地进入自己失控的仪式之中。

而他把这样的失控书写了下来，寄给女儿，寄给妻子，他被许多女性主义者指控，认为他对欧洲妻子儿女的背叛竟然毫不掩饰。

然而，如果掩饰，会是更自省的高更吗?

高更在《亡灵窥探》里把自己推到决裂的关口。

在古老时光里 1892

91×69 厘米，西班牙马德里提森·博内米萨博物馆

馨香的大地 1892

92 × 73.5 厘米，日本冈山大原美术馆

I raro te oviri
P. Gauguin 91

露兜树下 1892

67.3×90.8 厘米

美国得克萨斯州达拉斯艺术博物馆

一八九二年三月，他在写给妻子梅特的信上说：

你说我错了，我不应该远离艺术的中心（指欧洲）。

不，我是对的。长久以来，我知道我要做什么，我为什么要这么做。

我的“艺术中心”在我自己的脑中，不会在其他地方。

我够强，不会被其他人左右。

贝多芬又聋又瞎，切断了所有的干扰，他的作品才如此独特纯粹——

高更活在这样的孤独中，一个俯卧在床上的少女的肉体，他可以占有，或者他更知道自己无从占有，肉体其实属于“死神”，少女如此，他自己也如此。

高更越来越贴近塔西提最原始的宗教信仰，他此后的绘画其实不再只是艺术形式的革命，更是哲学信仰上的巨大颠覆。

女性肉体与神秘巫术

无可讳言，在塔西提期间，高更画作的重要主题之一是土著的女性肉体。

这些肉体的书写方式完全不同于欧洲当时的主流艺术中的女性，也不同于高更之前在欧洲的女性绘画。

一八八四年曾经画过在哥本哈根穿着晚礼服的妻子梅特，在高更的笔下，欧洲上流社会盛装的淑女有一种礼仪的优雅，如同当时欧洲许多女性的肖像画，夸耀着流行服装、饰品、发型，也夸耀着一个文明社会中塑造出来的教养与仪态。

不到十年，一八九二年，高更在塔西提画下的女性，变成赤裸的肉体书写，原始而大胆的肉体，没有任何文明的装饰，她们或躺或卧，或闲坐海边。她们肉体的富裕是热带茂盛丛林的一部分，我们似乎在高更的画里嗅到一种浓郁的肉体的气息，蒸腾

你嫉妒吗？ 1892

66×89 厘米，俄罗斯莫斯科普希金美术馆

她们有的只是随开随落的带着浓烈香味的鲜花，如同她们自己的肉体，是上天最珍贵的果实。“你嫉妒吗？”

着炎热的太阳，汗液的排泄，那肉体不再只是被服装、饰品、香水装扮起来的文明的假象，这肉体回到原始的自然中，是百分之百纯粹的肉体。

那肉体如此强烈，当高更的画作回到欧洲白人的世界，使文明中的人忽然警觉，自己的身体多么苍白、贫乏，多么没有生命真实的力量。

“你嫉妒吗？”（Aha oe feii？）

一八九二年，高更画了两名土著女性的裸体画，一名躺在后面，她的肉体仿佛变成大地的一部分，被阳光照得很亮的金红色的土地，与土著金褐色的肉体同样丰腴性感。

踞坐在前方的女性，在黑色的长发上戴着一串蓄槴花编成的花冠。

她们没有流行的服装，没有饰品，她们有的只是随开随落的带着浓烈香味的鲜花，如同她们自己的肉体，是上天最珍贵的果实。

“你嫉妒吗？”

高更在画面上直接书写毛利的拼音语言，这个题词充满隐喻性，谁在嫉妒呢？嫉妒谁呢？

高更在如此丰腴的肉体前感觉到欧洲文明的危机吗？感觉到自以为是的骄傲自大的欧洲殖民者内在不可言喻的脆弱吗？

高更不会用理智的语言来说明，画面上的毛利语题词是一个谜语，像一个神秘的符咒，只有在巫术的文化里才能感知的密码。

高更对土著女性肉体的书写正是一个巫术的密码。

你去往何方 1892

96×69 厘米，德国斯图加特国家美术馆巫术密码是文明逻辑解不开的。

因此，高更与十三岁的土著少女的婚姻，被殖民主义论述探讨，被女性主义学者探讨，高更在文明社会的逻辑里像一个病态的恋童症与男性沙文主义的恶魔。

在精神病院受躁郁煎熬的梵高可以博得人们同情（不关痛痒的同情）。

然而高更的行为，或许是文明社会背弃伦理、人性的最不可饶恕的范例。

高更没有辩白，他的画作只是一次神秘的巫术的仪式。

如同许多原始部落，巫师挑破处女膜，用处女的血献祭，巫师在用最美的女性肉体献祭。

文明社会视为野蛮、残酷、非理性的行为，在巫术原始的文化里却可能有着不能怀疑的神圣与崇高。

“Parau na te Varua ino.”

那个被翻译成“魔咒”（words of the devil）的题词，其实，即使“翻译”，文明中的人仍然无法理解。

“魔咒”能够被理解就不再是“魔咒”了。

许多神秘宗教仍然保留着“咒”的语言，因为那是理智无法达到的领域。

魔咒 1892

91.7×68.5 厘米，美国华盛顿国家画廊

高更的画作一次一次进行着毛利民族的神秘巫术仪式。那使文明社会的人看不懂，无法理解，却又着魔般迷恋的高更的美学，正是一句解不开的“魔咒”。

乐园 1892

115×86 厘米，俄罗斯莫斯科普希金美术馆

《魔咒》里，一个毛利少女赤裸裸地站着，她的肉体似乎被“窥探”着，少女有点惊慌，有点恐惧，她的左手用一块白布遮住女阴的部位，眼神里意识到有什么力量在她背后“窥探”。

背后是一名穿蓝衣的男子，围着黑头巾，脸像一张面具，没有表情，他跪坐着，像一尊神像。

“亡灵”再次出现。

每当有少女丰美青春的肉体，就有“亡灵窥探”。

高更的画作一次一次进行着毛利民族的神秘巫术仪式。

那使文明社会的人看不懂、无法理解，却又着魔般迷恋的高更的美学，正是一句解不开的“魔咒”。

高更用原始文化的“魔咒”彻底瓦解欧洲文明社会的理性。

高更甚至用这样的“魔咒”试图救赎他在哥本哈根的妻子与女儿。

把《亡灵窥探》中新婚的土著女人画像解释给妻子梅特与女儿艾琳听，在文明的社会，无论如何是无法被接受的。高更背叛欧洲社会的伦理，颠覆世俗的家庭关系，他与文明社会的决裂关系也许比梵高更绝对。

梵高对抗文明世俗社会，最后是把自己囚禁在精神病院，离群索居，而高更却是彻底改换自己的文明体质，他借着西提的原始“魔咒”，借着女性肉体献祭般的神秘性，使自己完全与欧洲文明决裂开来。

市集 1892

瑞士巴塞尔美术馆

大树 1892

美国俄亥俄州克利夫兰艺术博物馆

她的名字叫薇玛蒂 1892

俄罗斯莫斯科普希金美术馆

NOA NOA——嗅觉之香

一八九三年，高更的“魔咒”从绘画、木刻，蔓延到他的文字书写。他发表了一系列在塔西提的个人笔记，取名叫《诺阿诺阿》。

“Noa Noa”是毛利古老的语言，描述一种花的香味，一种生命的嗅觉之香。那香味在空气中存在，在人的嗅觉里存在，但是看不到、摸不到。

那香味在记忆里，在嗅觉的最深处永远不会消失，就像古老的魔咒，可以使生命复活，可以使衰老重回青春，可以使忧愁变成喜悦。

高更念着“Noa Noa”，像印度古老的魔咒——“唵”——回荡成空中巨大的力量。

他在“Noa Noa”一开始谈到刚刚抵达的帕皮提，那个充满了欧洲殖民政府官员、士兵、商贩的村落，他厌恶极了，他说：

高更塔西提笔记《诺阿诺阿》木刻版画

VENAVE FENUA

NAVENAVE FENUA

NAVENAVE FENUA

NAVENAVE FENUA

NAVENAVE FENUA

（上左到右）

塔西提人的照片以及水彩画

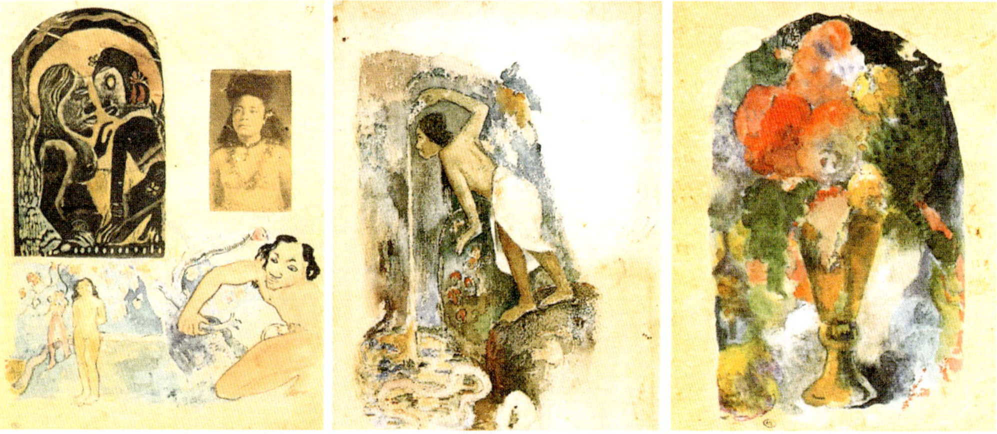

（下左到右）

戴十字架的塔西提女孩照片、木刻版画残片和水彩画

约 1892 年 法国巴黎卢浮宫

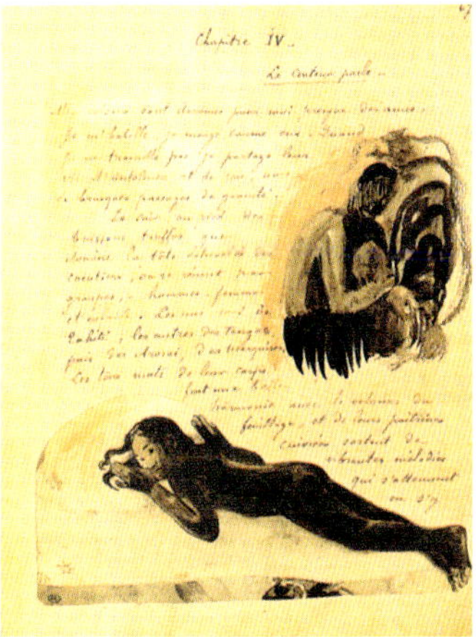

（上左到右）

复制《毛利人的古老宗教书》的《情人》水彩画

高更塔西提笔记《诺阿诺阿》手稿之一

高更塔西提笔记《诺阿诺阿》插图

约 1892 年 22.5×18 厘米，钢笔、水彩

（下左到右）

高更塔西提笔记《诺阿诺阿》插图

这是欧洲——我一直努力要逃离的欧洲。

在越来越严重的殖民主义的自大、装腔作势的气氛里，虚伪、粗鄙、漫画一样可笑。我们的习俗、时尚、道德礼仪，我们荒谬的文明。

高更如此批判着欧洲殖民文化的伪善虚假本质。

高更在《诺阿诺阿》里记录了一八九一年六月他刚抵达塔西提岛，岛上的国王波马雷（Pomare）逝世的情景。波马雷是毛利族最后一个土著君王，在强势的法国殖民者压迫下，他在一八八〇年交出了政权，塔西提岛正式成为法国殖民地，由法国派总督治理，土著人民的权利完全被剥夺。

高更借着波马雷国王的葬礼描写了失去尊严的种族悲哀的沉默，特别是他仔细记录了丧偶的王后玛柔（Maraii）的"雕像一般尊贵的种族"特征，粗厚的躯体，宽容而温和的表情，高更在她身上看到一个被剥夺了权力的毛利贵族没有丧失的尊严。

《诺阿诺阿》像是高更替所有欧洲白人殖民者书写的忏悔录。

高更在《诺阿诺阿》中从观察毛利最后一个国王的葬礼，一直到他越来越深入岛屿民间生活的种种，《诺阿诺阿》一部最翔实的人类学记录。

在文明社会可以轻易用"钱"买到的食物，当高更深入岛域内部，他记录着：当地人的食物，就在山上，在高高的树上，在海里。

树上的果实，海中的鱼虾贝类，都是食物。

但是你必须劳动！必须走很远的路，爬上树梢采摘果实，或者潜入海底捕捞鱼虾。

当地的人扛着沉重的食物走很远的山路，回到村落，他们看到高更没有食物，他们高声召唤高更，高更看懂了他们的手势，他们说：来吃啊——

高更肚子很饿，也觉得羞耻，觉得自己不应该“不劳而获”。

高更以原始社会的价值批判了自己文明的价值。

没多久，一个邻居的孩子静悄悄地把包在新鲜叶子里处理干净的食物放在我的门口——

《诺阿诺阿》书写着高更如何从一个欧洲白人转换成自己的过程。

吃完邻居的食物，没多久，一个男子走来问高更：“Paia？”

高更听不懂，但他知道那意思是：“你喜欢吗？”

“Paia”对异文化的人是“魔咒”，但高更逐渐进入了这“魔咒”的世界。

他的笔记叫《诺阿诺阿》，他用“魔咒”的语言向欧洲的同胞告白。

高更认真工作着，做笔记，画速写，素描风景与人物。

他注意到自己画中色彩的改变，他敢于用大胆的红与蓝去勾画植物，他敢大胆用金色表现阳光下闪耀的溪流。他发现，欧洲的画家是隔着距离在看原始的风景，因此无法使色彩强烈地在画布上撒野。

高更的改变不纯然是画风的改变，《诺阿诺阿》也许是更重要的心路历程，使我们可以看到一个彻底改换自己体质的高更，如何重建他的生命美学。他说：

每天进步一点，最后我越来越懂他们说的话。

我的邻居（有三家比较近，其他的有一段距离）几乎把我当自己人了。

我赤脚走来走去，每天接触土地、岩石，越来越灵活。

我几乎不穿衣服，越来越不怕太阳晒。

文明离我越来越远，我开始头脑单纯了。

我像动物一样活动，十分自由——

高更使自己还原到土地、自然的生存中，他使自己从现代文明中解放出来，还原成一个简单的人——没有种族、阶级、文化差异的单纯的人。

《诺阿诺阿》中有许多令人觉得像诗句的片段：

有一天，高更想找一块木材做雕刻，一块完整没有空洞的实心木头。

他邻居的年轻男子说，要越过一座山，他知道有这样的树。

他们在清晨出发，翻山越岭，山路崎岖坎坷，高更发现自己走得狼狈。在茂密的丛林里，瀑布哗哗流着，他们走进岛屿的中心地区。

我们除了下体围一块布，全身赤裸，手上拿着柄斧。

完全寂静，只有水冲击岩石的喧哗，单调重复着。

我们，两个朋友，他还很年轻。而我，身体与心灵都已经衰老了。

衰老，因为文明的礼教，因为失去了幻想。

他像动物般弹性的身体轮廓如此完美，他走在我前面，像森林，没有性别，却如此迷人——

这样的青春，这样完美和谐的自然环绕四周，散发着美，散发着香味（Noa Noa），滋养着艺术家的灵魂——

我有犯罪的冲动，一种无以名之的欲望，一种邪恶的召唤——

他无法了解，我独自背负着这邪恶念头的负担，整个文明用邪恶的思想教育我成长。

我们到达了目的地——在峭壁一端，一片纠结的树丛中，有几棵我要的黑檀木，伸着巨大的枝干。

我们粗野地用斧头砍树，砍伐一段适合我雕刻的枝干。

我猛烈砍击，双手满是鲜血。

乱劈猛砍，满足着发泄暴力与摧毁什么的快感。

是的，我真的摧毁了什么，所有那些文明在我身上的残留。

回家的路上，我十分平静，感觉从此以后我变成完全不同的人——一个毛利人。

我们两人满心欢喜扛着沉重的木材，他在前面，我安静地欣赏着我年轻朋友完美的躯体——

记录在《诺阿诺阿》中的这一段是高更转换自我重要的告白。

寻找黑檀木像是一个仪式的开始，那年轻的毛利男人的身体，引发高更“邪恶的欲望”，他自觉到欧洲文明礼教中毒之深。

在漫长的山路上，他一步一步还原到自然，还原到还没有“性的邪恶”的原始岁月。

在砍树的劳动里，他还原到最本质的生存，树被砍倒，双手是血，正像是仪式献祭的高潮。高更重新平静了，他身体里从文明礼教来的“邪恶的念头”一起被砍倒了。

他与一个年轻的毛利男子扛着黑檀木回家，一面走，一面欣赏男子完美的肉体。

我们大概可以想见脱胎换骨的高更如何进一步摧毁文明的束缚。

高更塔西提笔记《诺阿诺阿》木刻版画

1893，35.5×20.5 厘米，美国纽约现代美术馆

（上）木雕盒
（下）木雕
（右）木雕盒内部

陶罐头像系列

Tehamana——新婚的妻子

高更的塔西提笔记《诺阿诺阿》或许是解读他的绘画的最好批注。

《诺阿诺阿》像一段一段谜语般的“魔咒”。

当高更叙述他与毛利年轻男子上山寻找黑檀木时，描写了男子肉体的美，描写那青春肉体分泌着的气味，他用到了“Noa Noa”这个毛利土著词语。

因此，《诺阿诺阿》并不只是指花的芳香，而是一种生命青春的气息。Noa Noa里有着强烈的肉体的秘密，仿佛可以使人返老还童的符咒。

因此高更眷恋的或许并不是性爱本身，而是透过性爱使肉体复活的一种神秘仪式。

因此，他迷恋过那走在山路上的年轻男子的肉体，他也迷恋躺卧在海边沙滩、草地上的年轻女子的肉体。

高更在《诺阿诺阿》中叙述到他的新婚，对文明世界中的人而言，读起来或许的确如“魔咒”。

我们生活在一个牢固的伦理世界，父母、妻子、丈夫、儿女，结构成一个不容怀疑的“伦理”结构。

但是，对高更而言，他的鄙弃文明会不会正是要动摇这伦理的顽固性。

高更在丹麦有一个法律上登记的妻子以及五名儿女，从伦理的结构而言，高更是丈夫，也是父亲。

走在塔西提越来越深入的山区，文明越来越远，《诺阿诺阿》里的高更也似乎更抛弃了文明中的伦理。

下面一段记录也许是很令伦理世界中的读者惊悚困惑的吧——

我沿着东海岸走，这里不太有欧洲人来。

我到了法翁（Faone），在伊地亚

AUTI TE PAPE

（Itia）之前的一个小小区。

一名土著叫我："嗨，作人的人（他们知道我是画家），来跟我们一起吃饭。"

我走进屋子，有几名男人、女人、小孩聚在一起，坐在地上，聊天，抽烟。

"你到哪儿去？"一个约莫四十岁的漂亮女人问我。

"我去伊地亚。"

"去做什么？"

一个念头闪过，我回答说："去找一个女人。伊地亚有很多漂亮女人。"

"你要一个女人？"

"是。"

"如果你喜欢，我给你一个，她是我女儿。"

"她年轻吗？"

"她漂亮吗？"

"她健康吗？"

"好，去带她来给我。"

妇人去了大约一刻钟，人们给我毛利人吃的野香蕉和鱼虾。妇人回来了，后面跟着一个高个子少女，手中拿着一个小包裹。

少女围着极透明的粉红色细麻布，她金色皮肤的肩膀手臂都清晰可见。胸前突起坚实的奶头。

她甜美的脸特别朝向我，岛屿上从来没有人这样对待我。

她浓密鬈曲的头发轻微颤动，在阳光里闪成一片欢悦的金黄。人们告诉我她的原籍是汤加（Tonga）。

当她坐在我旁边时，我问她一些问题：

“你不怕我吗？”

“你喜欢永远住在我的小屋吗？”

“你永不会厌烦？”

这就是一切了。我的心脏怦怦跳着，好像没什么感觉。她就横躺在我面前的地上，把盛在香蕉叶上的食物捧给我。我饿了，羞怯地吃着。

这个女孩儿，只有十三岁——迷恋我，又害怕我。她未来将会如何？

这个婚约如此仓促，好像签了约，却对这签约犹疑着——我，几乎已经是老人了。

完整地抄录高更《诺阿诺阿》中这一段婚事叙述，或许是为了可以更认真地体会这样一次婚姻对高更的“仪式性”意义。

许多人批评高更，因为这“仪式”对他在哥本哈根的妻子梅特不公平，也对这个十三岁的毛利少女不公平。

是的，高更在晚年出版了这一册日记式的私密文件，他或许希望更多人参与这个“仪式”的议论。

在许多原始的文化中，“仪式”是严肃而神圣的，却没有任何理性与逻辑可言。

高更通过“进入”一个土著女性的肉体的“仪式”，救赎他自己。

在法文书写的《诺阿诺阿》中，高更说：我要一个女人。他用的是法文的Femme，同时有“女人”与“妻子”的意思，但是在英文版本中，用的是Wife，只有“妻

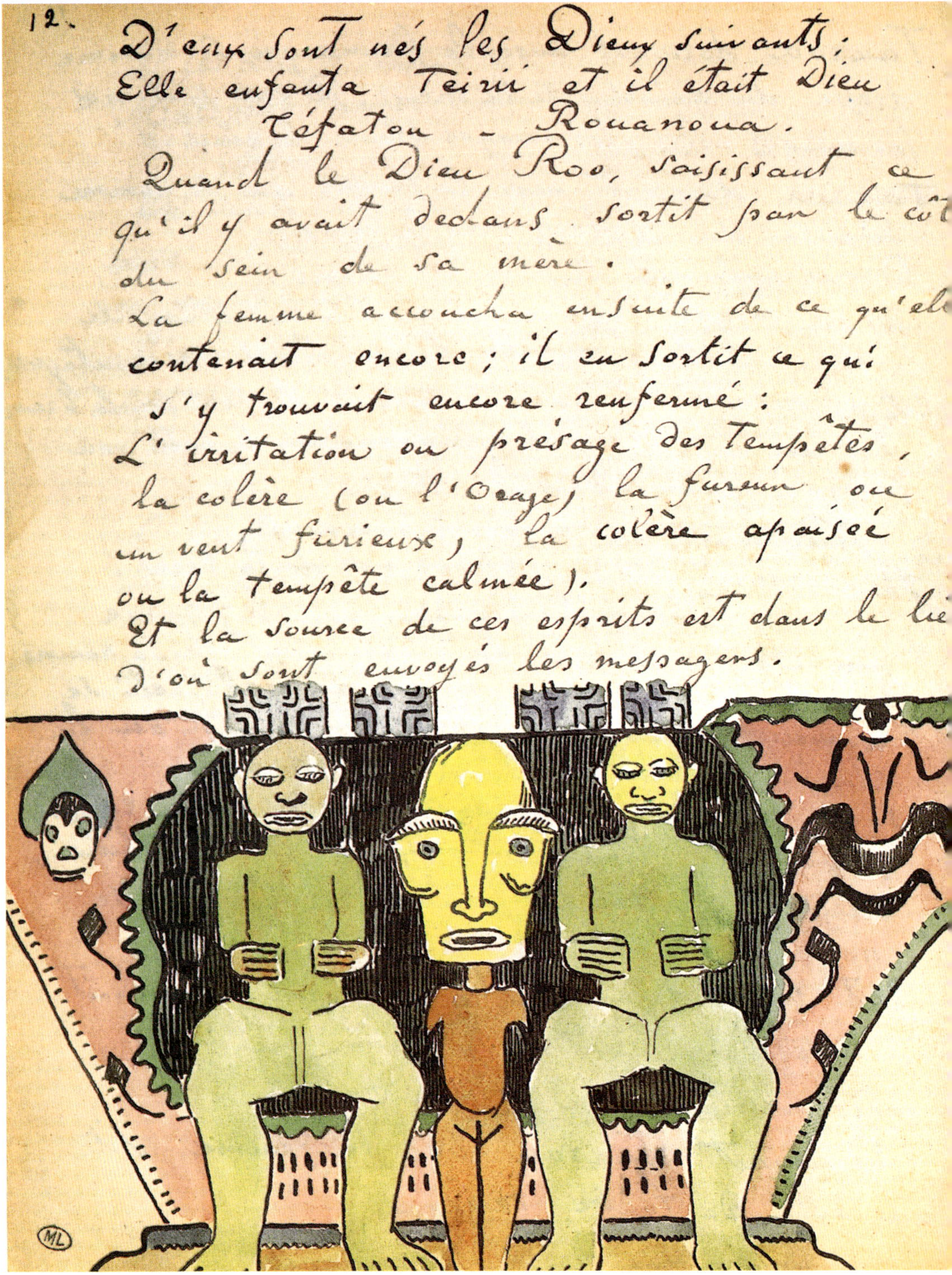

12.

D'eux sont nés les Dieux suivants:
Elle enfanta Teirii et il était Dieu
Téfatou – Rouanoua.
Quand le Dieu Roo, saisissant ce
qu'il y avait dedans sortit par le côt
du sein de sa mère.
La femme accoucha ensuite de ce qu'ell
contenait encore; il en sortit ce qui
s'y trouvait encore renfermé:
L'irritation ou présage des tempêtes,
la colère (ou l'Orage) la fureur ou
un vent furieux, la colère apaisée
ou la tempête calmée).
Et la source de ces esprits est dans le lie
d'où sont envoyés les messagers.

高更塔西提笔记《诺阿诺阿》

Eternité de la Matière –
Dialogue entre Tefatou et Hina (les génies de la terre – et la lune.

Hina disait à Fatou : « faites revivre (ou ressusciter) l'homme après sa mort.
Fatou répond : Non je ne le ferai point revivre. La terre mourra ; la végétation mourra ; elle mourra, ainsi que les hommes qui s'en nourrissent ; le sol qui les produit mourra. La terre mourra, la terre finira ; elle finira pour ne plus renaître.
Hina répond : Faites comme vous voudrez ; moi je ferai revivre la Lune. Et ce que possédait Hina continua d'être ; ce que possédait Fatou périt, et l'homme dût mourir.

子”的意义。

“妻子”是伦理与法律上的配偶，相对的词语是“丈夫”；“女人”是自然中的异性，相对的词语是“男人”。

高更试图寻找单纯男人与女人的关系吗？

他的塔西提探险并不只是外在形式的放逐与流浪，他在进行另一种只有肉体与灵魂的探险。

只有肉体与灵魂的探险会成为“仪式”。

《诺阿诺阿》中高更新婚的一段是他创作《亡灵窥探》最好的文字批注。

与高更同居的塔西提女子蒂蝴拉

1891—1893 木雕

高更也为《诺阿诺阿》的出版制作了很多版画插图，这些版画与文字书写都是高更给予二十世纪欧洲人最珍贵的人类学笔记，欧洲后殖民时期的论述也从这样诚实的笔记开始。

1894·重回巴黎

高更的第一次塔西提之旅，从一八九一年六月到一八九三年五月，大约停留了两年。

为了寻找原始蛮荒之美的高更，其实在这一次异域之旅中仍然充满了矛盾。在他的作品中，塔西提像一个美丽的天堂，一个不食人间烟火的世外桃源。

现实的生活当然不是如此。

高更试图使自己从一个文明社会的欧洲人变成当地土著的努力，也可能要比他在《诺阿诺阿》笔记里的描述要复杂得多。

他对欧洲有着强烈的乡愁，他一封一封的信，写给妻子梅特，写给画家、诗人朋友，都说明在异域岛屿上致死的寂寞。

而且，他带去的钱花完了，他以为在塔西提的画作可以引起巴黎人的兴趣，可以卖一些画，有一点收入，但是结果并没有预期的那样理想。

P. Gauguin 92

一八九三年八月左右，高更抵达马赛，转往巴黎。他以为会有许多艺术界的朋友、年轻的画家来迎接他，仿佛一个远游归来的英雄，但是，他的期望也落空了，没有人在意他的塔西提经验，没有人在意他的归来。

十一月，他在巴黎杜兰-鲁埃尔画廊（Durand-Ruel Gallery）展出四十件以塔西提为主题的作品，包括了他两年塔西提生活的重要创作。

巴黎的都市人是如何看待高更的作品的呢？

那画中的风景、热带的棕榈、阔叶的丛林，那些饱满的香蕉、檬果，多汁而带着浓郁的甜香。

那些无所事事闲坐在海边的女人，赤褐金黄的皮肤，鬓边簪着一朵白色的蕃槴花，丰厚的肉体，围着赤红的大花布裙，赤裸的脚掌。

这张画的题目是“Nafea Faa Ipoipo”，高更当然会用法文批注成——你何时要嫁人？

或许对大部分当时巴黎的群众而言，没有多少人对高更的“魔咒”感兴趣。

他们有的也许只是对遥远异乡情调的原始文化一点点观光客式的好奇感吧！

从这两年的作品来看，高更在一个完全不同的生活里不知不觉彻底改变了自己，他的绘画风格粗犷而大胆，常常用黑线条快速勾勒出他的主题，随后以直接的原色平涂在黑线的轮廓中。大块大块的平涂色彩如同剪纸，色块与色块直接对比，正是稍后马蒂斯（H. Matisse）在二十世纪初建立野兽派的来源。

你何时要嫁人？ 1892

105×77.5 厘米，瑞士巴塞尔艺术博物馆

无所事事闲坐在海边的女人，赤褐金黄的皮肤，鬓边簪着一朵白色的蕃槴花，丰厚的肉体，围着赤红的大花布裙。

今天有何新闻？ 1892

67×92 厘米，德国德累斯顿国家艺术收藏馆

在一个完全不同的生活里，高更不知不觉地改变了自己，他的绘画风格粗犷而大胆，常常用黑线条快速勾勒出他的主题。

平涂的色块有时是强烈的阳光，像《今天有何新闻？》（*Parau Api*）里，衬托着两个女子轮廓的是明度很高的柠檬黄，是一种强烈日光的反射，使日光中的物体变得像安静的雕塑。雕塑的形体里饱和的红、白、橘黄变成各自独立的色块，它们像是不属于任何形体，被还原成最自由也最本质的色彩。

《持斧的男子》在不同的画中出现，双手高举板斧，正在伐木，全身透露赤褐色的健康躯体，下腰围着一块蓝底的花布，他使人想起《诺阿诺阿》中与高更一起走山路去寻找黑檀木的年轻毛利男人。他的脚下水纹回荡，完全是东方绘画里书法式的流动线条。

高更自由地采用不同文化的视觉符号，从日本的浮世绘、中国的扇面山水、印度的佛像雕刻、埃及古壁画的人物造型，各种不同文明的来源，因为回复到了最原始的本质、回复到美的原点，对高更而言，都没有了界限。

一件《沐浴女子》可以看到高更在绘画形式上单纯简洁美学的极度成熟。

背对画面一个直立的丰腴女体，全身赤裸，左手抓着黑色的长发，她自然地站立在绿色草地上，饱和的绿色，一大块平涂的绿，很像中国唐代绘画里的青绿。

持斧的男子 1891

92×69 厘米，瑞士私人收藏

他使人想起与高更一起走山路去寻找黑檀木的年轻毛利男人。

他的脚下水纹回荡，完全是东方绘画里书法式的流动线条。

青绿对比着草地上一条大红色黄花的布巾，黄色、红色、绿色，如同完全被解放的愉悦的生命，像蛮荒里宁静而又饱满的歌声。

三名女子在溪流中沐浴，高更完全不管欧洲传统绘画的远近透视，他让远处对岸的绿色草地一样被阳光照亮，比前景的青绿色明度还要高。

或许这件作品里最迷人的是溪流的画法，高更用深郁的黑蓝色画出两片青绿草地间幽静的溪谷，而流水潺湲，他大胆地用白色线条画出流畅的水纹，完全是中国书法的线条风格。

这件《沐浴女子》打破了东西方的隔阂，使人觉得有日本浮世绘的味道，又有中国书法的趣味，色块与流动的线条构成画面微妙的配合。

一张完全现代风格的作品，是二十世纪许多画家创作的起点。野兽派的马蒂斯从这里出发，表现主义的蒙克（Munch）从这里出发，立体派（Cubism）的毕加索也从这里出发，高更在十九世纪末总结的美学经验事实上是许多二十世纪初艺术创作的养分。

而对东方画家当然也产生了一定的影响，一九二〇年到达巴黎的中国画家常玉，他画中的色彩与书法线条的关系显然与这张画里的高更有不可分的关系。

《红狗》（*Arearea*），有两名女子盘坐在近景的草地上，一名吹着芦笛，一条红色的狗走来。

宁静的自然里，绿色的草地与中景红褐色的土地连在一起，最远处有毛利人在向一尊巨大的神像膜拜。

沐浴女子 1891—1892

109 × 89.5 厘米，美国纽约大都会博物馆

这件作品里最迷人的是溪流的画法，他大胆地用白色线条画出流畅的水纹，完全是中国书法的线条风格。

欢乐（红狗） 1892 年

75×94 厘米，法国巴黎奥赛美术馆

画面的一块一块色彩像古老纺织或工艺作品里的拼图。图案化的风格被当时的评论家用了“景泰蓝风格”来称呼。

整件作品的色彩使人想起古波斯的地毯，又使人想起日本宫廷妇人穿的织绣的大袖礼服，高更画面的一块一块色彩像古老纺织或工艺作品里的拼图。

图案化的风格被当时的评论家用了“景泰蓝风格”（Cloisonism）来称呼。

高更使欧洲的纯艺术与民间传统工艺有了更多互补养分的关系。

他在一八九二年画的一张《近海边》（*Fatata Te Miti*），可能是他运用图案风格最明显的例子。

画中有三名毛利人，两名较近的女子在戏水，有一名正解开围在身上的布裙，走进浪涛中。

这件作品里，人物似乎变得不重要了，高更以极特殊的方法表现波涛的起伏。

波涛汹涌，在蓝绿的海水里激起白色的浪花。但是近海边的浪涛回旋，变成金黄、粉紫，像是落日的光在海面上浮荡，又像是近海的植物的落花在水中浮沉，绚丽丰富的色彩如同土著植物染成的彩色鲜艳的大花布。

高更使风景画离开了自然写实，变成一种心灵里的意象，仿佛梦境。

这一段时间，非常支持高更独特美学的是文学界的朋友，像著名的诗人魏尔兰（Verlaine）、马拉美（Mallarmé），他们似乎更能从诗的意象中进入高更神秘而充满象征的世界。

一八九三年，为高更举办个展的也是一位诗人兼评论家莫里斯（Charles Maurice，1861—1919）。他对当时刚起步的象征主义美学感兴趣，无论在文学上、绘画上，象征主义都更强调绘画不只是表象的视觉写实，更应该饱含丰富的心灵神秘的象征隐喻。

莫里斯极力推崇高更的创作，为他的展览写评论，也为高更的《诺阿诺阿》做出版计划。

当时已是法国诗坛泰斗的马拉美也极力推崇高更，他著名的“星期二沙龙”，高更是常客。在去塔西提之前，高更还为马拉美制作了金属版的肖像。

马拉美曾经翻译爱伦·坡（Edgar Allen Poe）的一首诗《永远不再》（*Nevermore*），启发了高更的灵感，创作了他一八九七年重要的一张画，也以《永远不再》命名。

高更使西方绘画在前期印象派时期被去除的“文学性”“诗意性”“隐喻性”重新回到视觉美术中来。

他使绘画的视觉中饱含神秘的、谜语般的象征，使观赏者有了更多视觉以外的想象空间。

诗人与文学家在高更的画中找到书写诗句的快乐，使视觉的美之外有了更多弦外之音的回荡。

二十世纪四十年代，中国敏感的作家张爱玲在画册上看到《永远不再》，写下了极为贴近高更的叙述：“像这女人。想必她曾经结结实实恋爱过，现在呢，‘永远不再’了。虽然她睡的是文明的沙发，枕的是柠檬黄花布的荷叶边枕头，这里面有一种最原始的悲怆……那木木的棕黄脸上还带着点不相干的微笑。仿佛有面镜子把户外的阳光迷离地反映到脸上来，一晃一晃。”

近海边 1892

67.9×91.5 厘米，美国华盛顿国家画廊

绚丽丰富的色彩如同土著植物染成的彩色鲜艳的大花布。高更使风景画离开了自然写实，变成一种心灵里的意象，仿佛梦境。

一八九三年,高更离开塔西提,重返巴黎之前,为他的“女人”蒂阿曼娜画了一张像。

蒂阿曼娜穿着黑白条纹的欧洲服装，手中拿着一把扇子。

一直以毛利土著的女性裸体出现的蒂阿曼娜在这张画中有点奇特，有一种拘谨、沉重的表情。好像在担心什么事情发生，正襟危坐。

蒂阿曼娜的背后有毛利人信仰中的祖灵神像，以及墙壁上符咒一般的象征性的符号。

高更在画上用毛利拼音写了“Merahi Metua no Tehamana”，翻译出来是“蒂阿曼娜的祖灵们”。

是高更在安慰蒂阿曼娜吗?

或是高更在离开前试图为蒂阿曼娜找到祖灵的庇佑与祝福?

高更画中的隐喻不完全可以了解，也使他的绘画像一首诗，可以有不同面相的猜测与解读。

他在《诺阿诺阿》中写到，他回法国让蒂阿曼娜哭了好几天。

一八九四年，回到巴黎的高更结交了另一位女人辛格列丝（Singalese），也叫爪哇安娜（Annah the Javanese）。

同年春天，他与安娜重回布列塔尼，因为与人争吵，被一名水手用木器打碎了膝盖，送到医院治疗。

这个爪哇安娜趁此机会，回到巴黎，把高更寓所的东西洗劫一空，从此不知下落。

腿伤养好，高更计划再去塔西提。

爪哇安娜 1894

116×81 厘米，瑞士私人收藏。1894 年，高更回到巴黎结交的女人辛格列丝，又叫爪哇安娜，虽然有土著的外表，却有着文明社会的手腕。

蒂阿曼娜的祖灵们 1893

76.3×54.3 厘米，美国伊利诺伊州芝加哥艺术中心，高更为他的“女人”所画的一张像。是高更在安慰蒂阿曼娜吗？或是高更在离开塔西提前试图为蒂阿曼娜找到祖灵的庇佑与祝福？

神秘之水 1893

99×75 厘米，私人收藏

他想卖一些画给政府，没有如愿，勉强凑到一点旅费。一八九五年的六月再次远赴塔西提，移居到岛屿西岸一个叫普那哇（Punaauia）的小村落，自己建造了小屋，找了一名十四岁的土著少女同居，少女的名字叫蒂蝴拉（Parura）。高更持续创作，但身体状况越来越差，在巴黎蒙巴纳斯一次嫖妓的时候感染了梅毒，膝盖的伤也无法完全复原。

在身体状况处于极低潮的时候，传来他未满二十岁的女儿艾琳死亡的消息。一八九七年，高更曾试图自杀，但他却坚持活了下来，创作出了他一生最伟大的作品——《我们从哪里来？我们是什么？我们要到哪里去？》。

塔西提的牧歌 1893

86×113 厘米

俄罗斯圣彼得堡国立埃尔米塔什博物馆

高更的自画像 1893（左）

43.8×32.7 厘米
美国圣安东尼奥麦克奈艺术博物馆

月亮与地球 1893（右）

114.3×62.2 厘米
美国纽约现代美术馆

1897 · 残酷与梦境

一八九四年，高更创作了一件作品《神的日子》（*Mahana no Atua*）。

画面中央上方是一尊正面的毛利人巨大神像，置放在岩石高处，像一个神圣的祭坛，祭坛两边有吹笛子的乐手，有怀抱婴儿的母亲。

左侧走来两名穿白色长裙的女子，头顶着箩筐，箩筐里好像盛着祭拜的供品。右侧是两名穿红裙的女子，似乎正在用舞蹈娱神。

前景是坐在水边沐浴的女子，用手梳理着黑色长发，双脚浸在水中，水波荡漾，摇晃成一片绚烂的天空和彩霞的云影。

旁边两名赤裸的睡眠中的人体，蜷缩着，好像还在母胎中的婴孩。

一八九四年高更其实在欧洲，他似乎是凭着记忆或手稿画下了这张《神的日子》。

也许，隔着空间的距离，塔西提岛屿的种种变得更纯粹完美，画面如此宁静谐和，仿佛梦境。

高更似乎越来越耽溺在自己的梦境中，没有现实干扰的梦境：明亮的天空、洁净的白云、美丽的海洋、丰腴的植物，以及没有一点邪念的女子的肉体，可以酣睡在你身边。

高更做着一个悠长而不愿醒来的梦。

如同他每一次狂欢后沉睡在一个陌生的女子怀中，他好像又回到母胎，回到婴儿的状态，做着永远不会醒来的梦。

《神的日子》是原始信仰的礼赞吗？或者只是高更虚拟的一个不现实的梦境？

一八九五年，在巴黎的诸多不如意的事发生，一个长时间在异域荒野中生存的高更，一旦重回文明都市，像一头无法被驯服的野兽，不断渴望女子的肉体，与男人争吵斗殴，一切在大荒野中可能是“自然规律”的行为，却在文明的都市中变得难堪而尴尬。

高更要重回荒野——

一八九五年六月他回到了塔西提，在首府帕皮提短暂停留就转往更荒远的西海岸。

他在普那哇自己动手建了一间小屋，带着十四岁的土著女子蒂蝴拉共同生活，仿佛是一个无瑕疵的梦境。

他染患的梅毒使他的身体越来越糟，到了一八九七年，欠了一堆债、膝盖破裂、梅毒缠身的高更，得知最钟爱的女儿艾琳的死讯，他写信给妻子梅特说：

Gauguin 94
MAHANA no Atua.

神的日子 1894

66×87 厘米，美国伊利诺伊州芝加哥艺术中心

在欧洲的高更，似乎是凭着记忆或手稿画下这幅画。也许，隔着空间的距离，塔西提岛屿的种种变得更纯粹完美，画面如此宁静谐和，仿佛梦境。

永远不再 1897

60.5×116 厘米，英国伦敦寇特美术馆，画面上的悬疑、隐喻、神秘氛围，形成巨大的张力。高更似乎已走进了他一直寻找的巫魔的最深处，毛利古老的神魔都附身在他心灵之中了。

TE RERIOA
P. Gauguin 97
TAITI

白日之梦 1897

95.1×130.2 厘米，英国伦敦寇特美术馆

所有现实的贫困、污秽、难堪、破败，到了极致，
仿佛逼使那美学的梦境要更纯粹、更完整，
高更也因此而创作了这幅动人的作品。

她的坟墓在我身边，在我的泪水里——

高更在一八九七年年底自杀，没有成功。他开始一些野心庞大的创作，他想在生命的最后询问生命最本质的问题：生命从何而来？生命究竟是什么？生命要往哪里去？

背负着这样沉重的生命课题，高更苟延残喘地活着。

为了应付最低的生活开销，他跑到帕皮提殖民政府单位兼一个小职员的工作，靠一天赚六法郎过日子。

当他休假回到普那哇，发现自己盖的小屋倒塌残破如同废墟，被山洪冲垮，布满老鼠与蟑螂。

或许，这才是真实的“梦境”。高更一直在用美丽的画面对抗着现实，我们在他的画中看不到老鼠，看不到蟑螂，看不到他破裂的膝盖骨与梅毒的脓疮。

高更勾绘了一个完美的梦境，使人想入非非。

然而，人们似乎愿意陶醉在他的梦境中，也永不醒来。

一八九七年，他创作了《永远不再》。

“永远不再”书写在画的左上角，下面是高更的签名。

《永远不再》是爱伦·坡的诗，法国诗人马拉美译成法文。高更在巴黎时常参加马拉美家每星期的“星期二沙龙”，这首诗成为他在一八九七年陷入生命困境时的记忆。

一个毛利女人侧躺在床上，木雕的床，有小碎花的枕头与床单。

女人的表情使人想起高更之前的作品《亡灵窥探》，特别是眼睛，仿佛惊慌或恐惧着什么，仿佛在仔细偷听床的后面那两个鬼祟的男子在交谈什么。

女子赤褐丰腴的肉体如此丰美，流动着金色的阳光，然而，我们不知道她为什么惊慌。

画面上的悬疑、隐喻、神秘氛围，形成巨大的张力。

画面后方的男子，那个戴着黑色头巾的，正是曾经在《亡灵窥探》中出现过的“死神”。

高更觉得“亡灵”越来越近了吗？那个毛利人害怕的“亡灵”正一步一步靠近他自己。

高更似乎已走进了他一直寻找的巫魔的最深处，毛利古老的神魔都附身在他心灵之中了。

爱伦·坡的《永远不再》诗中描写了一只黑色的乌鸦。

这只乌鸦停栖在窗台上，似乎窥视着床上的女人。

高更写给朋友蒙弗雷（D. de Monfried）的信上说：

这不是爱伦·坡写的乌鸦，这是恶魔的鸟——

创作的领域像一个坚固梦境的堡垒，在现实里高更的小屋满是老鼠、蟑螂，破败肮脏，但他仍然坚持在自己的梦境中画出最美丽的作品。

而所有现实的贫困、污秽、难堪、破败，到了极致，仿佛逼使那美学的梦境要更纯粹、更完整，高更因此创作了他这件动人的作品《白日之梦》（*Te Rerioa*）。

一间墙壁上布满了神秘绘画的小屋，两个女人坐在屋中，一个女人侧坐后方，一个正面看着画面，她袒露着丰满的乳房，盘坐着，若有所思。

画面左下角的一张木雕的古老小床上，俯卧沉睡着一个婴孩。

小床上，高更书写着毛利语——Te Rerioa（白日之梦）。

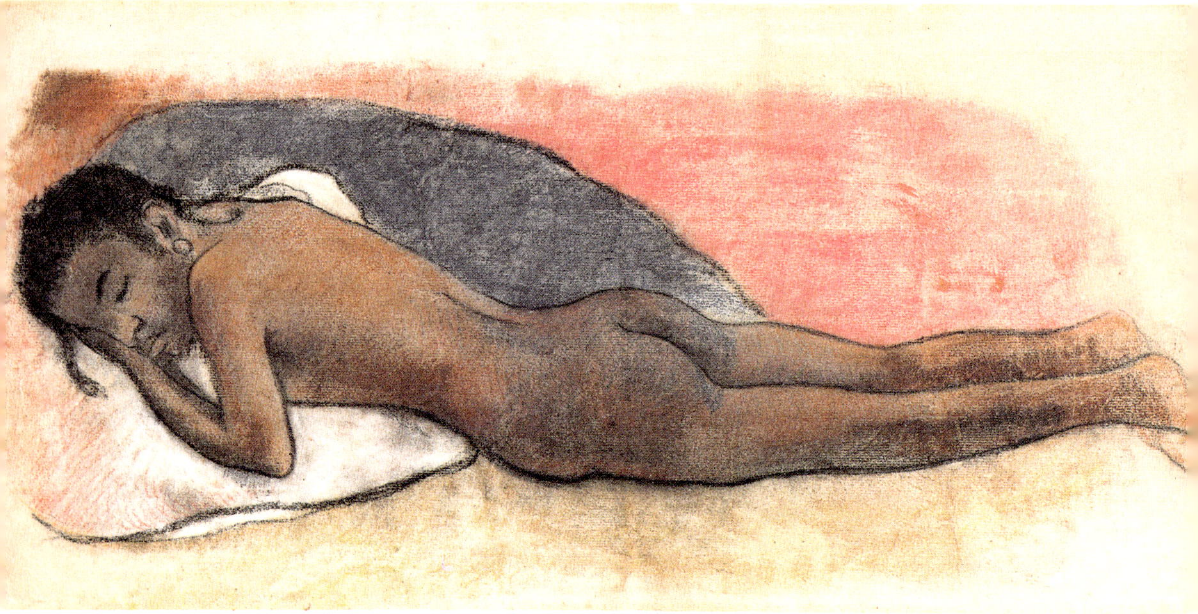

布列塔尼女人在祈祷 1894

65×46 厘米，美国马萨诸塞州斯特林和弗兰锡恩·克拉克艺术博物馆小屋的门外有一条远去的小路，小路上一名白衣骑士正缓缓骑马离去。小路通向一片广阔的热带的田野。

高更在给蒙弗雷的信中说：

白日之梦——这是画的题目。

在画里一切都像是梦境，

是一个婴孩吗？是一个母亲吗？小路上的是骑士吗？

或者，一切都只是画家的梦境——

高更后期的绘画越来越远离现实，连那些毛利土著，也不再是现实中的人物。他们好像生活在古老久远的洪荒，生活在神的信仰中，他们就像是高更虚拟的一个种族。

他开始动手创作他最伟大的虚拟神话式的作品：《我们从哪里来？我们是什么？我们要到哪里去？》

虚拟的神话只是对天的询问，如同屈原的《天问》，人类对天发问，却永远得不到任何回答。

高更在巨大的孤独中完成了最后的巨作。

甜美的梦 1894

73×98 厘米，
俄罗斯圣彼得堡国立埃尔米塔什博物馆

P. Gauguin 96
TE TAMARI NO ATUA

诞生 1896

96×131.1 厘米，德国慕尼黑美术馆

芳香的土地 1896

法国巴黎马赛美术馆

我们从哪里来？我们是什么？我们要到哪里去？

长度374.6厘米、高度139.1厘米的巨作，高更在生命最低潮的时刻完成了这件作品。

巨大画面如同史诗一样展开，在左上角与右上角各有一块对称的浅黄色调的题记，像史诗的注记。

左上角是三行法文：

D'où Venons-nous？

Que Sommes-nous？

Où Allons-nous？

我们从哪里来？

我们是什么？

我们要到哪里去？

自画像 1896

法国巴黎奥赛美术馆

我们从哪里来？我们是什么？ 我们要到哪里去？ 1897

139.1×374.6 厘米，美国马萨诸塞州波士顿美术馆

巨大的史诗性作品，高更所提出来的是人类共同疑惑而一直没有答案的问题。

我们从哪里来?
我们是什么?
我们要到哪里去?

法文三句的结尾都是 nous（我们），如同诗句结尾的韵脚。

右上角浅黄色里是高更的签名，两边都画了装饰性的画，也很像书的扉页。

也许高更在南太平洋的荒野中寻找的一切都是为了完成这一幅巨作。

史诗的作品通常都是许多看来不相关的片段的组合。

画面的右下角地上躺卧着一个沉睡中的婴儿，三名妇人围坐在旁边。

与婴儿对称的左下角蹲坐着一名白头发的老妇人，有点忧伤或恐惧，半遮着脸孔，旁边站着一只白色红嘴的鸟。

画面中有许多符号是高更在塔西提的作品中使用过的，好像他熟悉的记忆，那腰间围着白布的男子站在画面正中央，顶天立地，伸手采摘树上的果实，他好像在生与死之间，在婴儿与老人之间，是盛旺的生命巅峰，然而他也只是生命长河的一部分，他连接着婴儿与老年，连接着生与死。

有女子赤裸背对画面坐着，两名穿长裙的女人相互扶持着走来，像是从黑暗的记忆中走来，或是要走进即将消逝的记忆。

海浪波涛汹涌，激流在树丛间流淌……

高更记忆中的巨大毛利人神像雕刻兀自矗立，双手张开，像是迎接，也像是祝福。

蹲卧的牛、羊、狗、猫、雏鸡……

所有的生命都成为巨大史诗的一部分——

在一片宁静的风景中，这些植物或动物的生命，生生死死，爱恨纠缠……

我们从哪里来？我们是什么？我们要到哪里去？

好像到了生命尽头，高更可以总结一生的疑惑：

我们从哪里来？

我们是什么？

我们要到哪里去？

这件巨大的史诗性作品，从表象上来看，似乎是塔西提毛利人的史诗。

但是，高更所提出来的三个问题是人类共同疑惑而一直没有答案的问题。

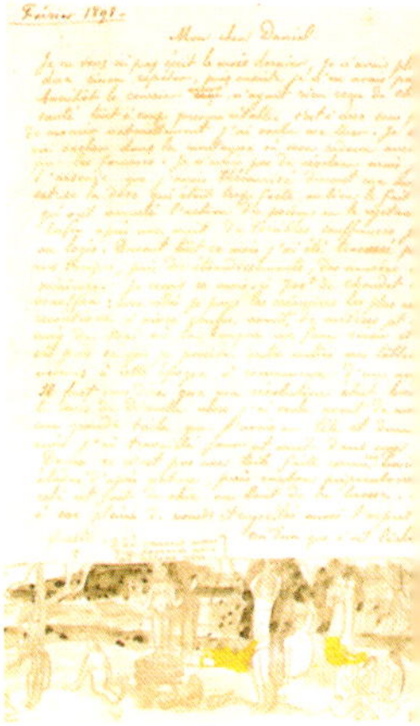

素描手稿

高更剥除掉现代文明的复杂性，回归原始，或许是发现人类从远古到现代文明并没有本质的改变。

原始部落的人类，面对着天地，有生的喜悦，有死的恐惧，而现代文明中的人类逃过了这些初民洪荒以来的难题吗？

如果没有，那么现代文明有什么可以骄傲自大之处？现代文明比原始部落是不是五十步笑百步地同样蒙昧无知而已？

长久以来，欧洲的艺术主流离开了深沉的信仰传统，失去了哲学性的深度，高更借着原始文化中还存在的生命信仰，再一次把史诗性的议题展开在画面中。

大概从一八九七年开始，一直到一九〇一年夏天，高更都在创作这件巨大的画作。

他在一九〇一年六月写给当时极支持他的诗人评论家莫里斯的信上提到这幅巨作，也描述了一些细节，但完全是散乱的细节：

……在这张大画里：一个接近死亡的老女人，一只奇怪愚蠢的鸟结束了诗句——

日复一日，人们活着，依靠本能，到处浮游——

泉源、婴孩、生命又开始——

对于自己的作品高更似乎不想多加解释，他的文字也像绘画，更接近寓意性的诗，而不是分析性的论文，更需要刹那的心灵领悟，而不是支离破碎的注解。

在同一封信里，高更的另一段文字也许更贴近他创作这件巨作时的心情吧——

我极低潮，被贫穷打败，被病痛打败，我过早衰老了。

我要暂缓完成我的作品，我还在妄想，下个月要尽最后的努力去法图依瓦（Fatu-Iva），那是马克萨斯群岛中的一个小岛，还很原始野蛮。

我想，那里的野蛮，那里纯粹的孤独，可以重新让我苏醒。

在我死前，还要迸放最后灿亮的火光，我的幻想会重新年轻，我的才华要攀升至巅峰。

持扇的塔西提少女 1902

91.9×72.9 厘米，德国埃森福尔克旺博物馆高更在一九〇一年的九月到了马克萨斯群岛的多米尼克岛（Dominique），当地的名字是希瓦瓦（Hiva-Oa）。

因为有画商安布鲁瓦兹·沃拉德（Ambroise Vollard）开始一年收购二十五件作品，高更每个月可以有固定三百法郎的收入，他不再为生活费忧虑，但是身体状况已经每况愈下。一九〇二年，他常常卧病在床，他似乎预感到自己将不久于人世，开始撰写回忆录式的《以前和以后》（*Avant et Apres*），并寄回巴黎，希望能够出版。然而直到一九二一年这些文字书写才有机会被印刷，高更则在一九〇三年的五月八日逝世于马克萨斯群岛。

三个塔西提人 1898

73×93 厘米
英国爱丁堡苏格兰国立美术馆

两个塔西提少女 1899

94×72.4 厘米，美国纽约大都会博物馆

女子画像 1896

75×65 厘米，丹麦哥本哈根赫希施普龙收藏艺术博物馆

Gauguin
1899

采摘水果 1899

俄罗斯莫斯科普希金美术馆

尾声

一九〇一年八月，高更离开塔西提，前往马克萨斯群岛中一个小岛希瓦瓦。这个小岛在塔西提岛东北边七百公里处。

高更停留在岛屿的一个叫阿图阿那（Atuana）的村落。

高更在阿图阿那有一个很好的工作室，他给蒙弗雷的信中描述了这个距离海只有三百米的屋子。一边可以眺望整片的海湾，一边是幽静的山谷。

他又找了一个十四岁的土著女子为伴侣，并生下最后一个孩子。

高更的原始到完全反伦理、反文明的许多言论与行为触怒了当地殖民政府的法国官员以及教会的神职人员。

当他考虑要回法国居住时，好友蒙弗雷在一九〇二年的十二月郑重地写了一封信劝阻他回国，信中说：

“欢乐之家”门板

（上）1901 年 40×244×2.3 厘米

（左）1902 年 200×39.5×2.3 厘米

（右）1902 年 159×40×2.5 厘米

（下）1902 年 45×204.5×2.2 厘米

法国巴黎奥赛美术馆

……你最好别回来……你此刻可以荣耀地死亡……你的名字已经在艺术史上……

高更回不到文明社会了，他走向异域、荒岛、神秘信仰的路是一条一旦踏上就不再有机会回头的不归之路。

他被殖民政府官员视为一个行为败坏、辱没欧洲文明的痞子，他被神职人员认为是一个背离基督信仰充满邪恶的魔鬼。

他孤独地生活在自己营造的梦中，他为自己最后居住的屋子做了一个木雕的门框。门楣的部分像一块匾额，两边刻着男人和女人的头像，装饰着美丽的花叶图案，匾额上刻着——Maison du Jouir（欢乐之家）几个法文词。

门框的两侧，各有一名赤裸的人体，单纯、稚拙，装饰着动物、花草、果实等图案，像是伊甸园中的亚当与夏娃，仿佛在还没有戒律的时代，人类曾经如此简单而无邪地生存。

门框的下方是三名人像，高更重复了他之前雕刻的句子——

Soyez Amoureuses，Vous Serez Heureuses（能够爱，你将会快乐。）

对抗着身体的衰老病痛，他仍然努力创作。

在一八九九到一九〇一年间，高更曾经独自办了一份报纸，取名《微笑》（*Le Sourire*）。他自己排版、画插图、发行，整份报纸都是尖刻地对殖民官员与神职人员的讽刺、批判。

他也因此得罪了殖民地几乎大部分上层官员，被一个地方的警察机构以“诽谤罪”提出控诉。

一九〇三年三月，法院的判决下来，高更罪名成立，必须入狱服刑三个月，并且罚金一千法郎。

高更拒绝这项判决，他找一位毛利土著朋友提欧卡（Tioka）向威尼尔牧师（Pastor Vernier）求助。威尼尔反对天主教势力，他属于新教神职人员，也同情高更，但是，高更已经等不到判决的平反，五月八日与世长辞，埋葬在他宿命的故乡阿图阿那。

高更在最后几年书写的《以前和以后》是他重要的文字记录，其中保留了他在十九世纪末观察南太平洋文化的许多特殊观点。在欧洲白种人气势高涨如日中天的年代，殖民者只会把土著当奴隶，把土著当野蛮的动物，从来无法对土著文化有真正了解与尊重。

我们在《以前和以后》这样自传性的文字书写中，看到一九〇一年到达马克萨斯群岛后，高更对当地土著文化的记录：

关于马克萨斯群岛艺术

欧洲人无法认知毛利人——无论是新西兰的毛利，或马克萨斯群岛的毛利——

他们都发展出了形式进步的装饰艺术。自以为什么都知道的欧洲评论家用一个“巴布亚艺术”（Papuan）就打发了。

马克萨斯群岛地区的装饰美感特别卓越。给当地人一种材料，无论是几何形的、弯曲的还是圆的，他们都能用最和谐的元素图案把空间填满，没有任何不协调。

这些艺术的基本元素是人的身体、人的脸。特别是脸部，你会很惊讶第一眼看到的全是几何造型，而它们都是人的脸的变形。

总是同样的元素，但是千变万化。

高更可能是最早从人类学角度正视土著艺术的重要性的观察者。

也因为这些艺术作品，使高更对土著文化中的美感与欧洲文明社会的美感做了比较：

……土著妇女每个人都会做衣服，自己打扮，编结头发、饰带，技法繁复，远远超过成千上万的巴黎女人。她们编花束的品位也比巴黎玛德琳大街的花店好多了。

她们美丽的胴体，不会用鲸鱼骨裙摆来作怪，在条纹细麻布的长衫里，那身体婀娜多姿，袒露着贵族般的双手、双脚。她们的四肢宽厚结实，那经常走路的脚，刚看不习惯，没有穿缎带鞋，但是，看久了，使人不习惯的反而是缎带鞋——

高更反省的事实上不只是欧洲艺术的问题，他彻底质疑了文明社会里人类生活美感的矫情与扭曲，当时欧洲女人为了细腰丰臀，用鲸鱼骨做支架垫高屁股，高更对土著女性身体的赞美隐含着他对整个二十世纪欧洲美学与美感教育的全面反省。

高更极力抨击当时欧洲神职人员借传基督教之名对土著文化的伤害：

马克萨斯群岛艺术慢慢在消失，感谢基督教的传教士们。

传教士们把土著的雕刻装饰艺术视为异教的拜物崇拜，是基督教的上帝不允许的。

这是关键所在，可怜的土著改变了！

从在摇篮里就改变了，年轻一代土著唱着听不懂的法文基督教圣诗……

如果一个少女在头上戴了一朵花或什么美丽的饰品，神职人员都要生气——

高更具体地指证出一个强势独大的宗教如何借传教之名造成的文化伤害。

高更指证的问题并不只是马克萨斯群岛上的问题，高更指证的问题也不只是整个欧洲文化在殖民时代与当地文化传统的巨大冲突，高更提出来的严肃课题也可能包含着强势文化与少数弱势文化的如何平等相处的问题。从现代文化人类学的角度省视高更在他最后的著作中提出的议题，也许更能了解他先觉性的角色。

高更的书要在他逝世后十年左右才出版，到了接近二十世纪的二十年代，他的观点才成为整个欧洲知识界、文化界的共同反省，后殖民主义的论述成为显学，原始土著艺术重新被对待，都有高更的影响在内。

高更在《以前和以后》最后所发出的感叹或许意味深长，却是文明面对原始改变至今可能仍然无法解决的问题：

……很快，马克萨斯群岛原住民会丧失爬上椰子树的能力，会丧失走进深山寻找野生香蕉吃的能力。小孩都到学校上课，丧失身体的训练，为了“礼教”的缘故，他们总穿着衣服，因此他们越来越弱，晚上无法在山间生活。他们必须一直穿着鞋子，他们的脚变得细嫩，无法在崎岖粗粝的山路上奔跑，也无法踩着石块渡过溪涧——

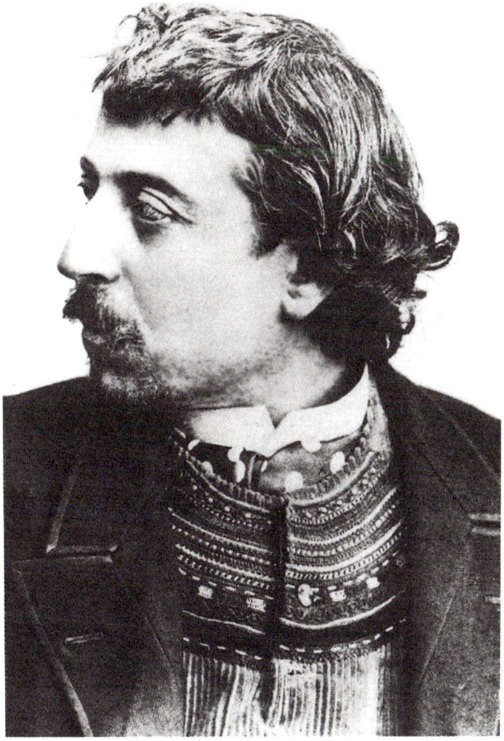

高更最后的喟叹或许是一种美学的喟叹，仿佛在哀叹一个完美文明的消逝，仿佛在哀叹一个完美种族的堕落，仿佛在喟叹一个如此完美的肉体丧失了生命本质的优秀能力。

高更的喟叹是所有文明社会的人在面对原始粗犷文化的无奈的喟叹吧！

高更在一九〇三年四月临终前写给好友莫里斯的一封信上，如此写着：

……我很糟，但是还没有倒下！

在挫败的苦刑下，印度修行者不是保持着微笑吗？

无疑地，他们的顽强野性比我们多。

高更接着严正批判了当时欧洲的主流艺术，他说：

在艺术上我们经历了漫长的一段畸形发展。

艺术家丧失了野性，丧失了本能，丧失了想象的能力。

他们迷失在一些旁枝末节中，看起来在生产，却不是创作。

他们挤在一堆，乌合之众，害怕孤独。害怕特立独行。

大多数人无法认同孤独，但是，你要够强，你才能承当孤独，才能特立独行！

高更走向荒野，走向异域，走向原始，或许在这最后一封书信中有了更明白的宣告。

2008 年 1 月泰国初稿

2008 年 4 月 24 日修订于巴黎去荷兰的火车上

原始人的故事 1902

德国埃森福尔克旺博物馆

沙滩上的骑马者 1902

73×92 厘米，私人收藏

女人与白马 1903

73.3×91.7 厘米

美国马萨诸塞州波士顿美术馆

你为何生气？ 1896

美国伊利诺伊州芝加哥艺术馆

两个少女 1902

74×64.5 厘米，私人收藏

附录 | 重要作品列表

1878

长子埃米尔的雕像

美国纽约
大都会博物馆
P.047

1879

妻子梅特的雕像

英国伦敦
寇特美术馆
P.046

1879

市集菜园

美国马萨诸塞州
北安普顿史密斯学院
P.054—P.055

1879

苹果树

私人收藏

P.076—P.077

1879—1880

缝纫的梅特

挪威奥斯陆
国家博物馆
P.070

1880

毕沙罗画高更，高更画毕沙罗

法国巴黎
卢浮宫
P.057

1881

花园中的一家人

丹麦哥本哈根
嘉士伯艺术博物馆
P.061

1884

女儿艾琳画像

私人收藏

P.051

1884

睡眠的孩子

私人收藏

P.064—P.065

1884

穿着晚礼服的梅特

挪威奥斯陆
国家博物馆
P.072

1885

扇面——塞尚仿作

丹麦哥本哈根

新嘉士伯艺术博物馆

P.079

1886

四位布列塔尼妇女

德国慕尼黑

新绘画陈列馆

P.090–P.091

1886

静物

美国印第安纳州

波利斯市艺术博物馆

P.083

1886

陶艺草图手稿

法国巴黎

卢浮宫

P.089

1886

次子克洛维画像

美国新泽西州

纽瓦克博物馆

P.050

1886—1887

陶艺作品

丹麦哥本哈根

装饰艺术馆

P.089

1886

牧羊女

英国

泰恩—威尔郡美术馆

P.086–P.087

1886—1887

陶艺作品

法国巴黎

奥赛美术馆

P.089

1886

布列塔尼女人素描

苏格兰格拉斯哥

伯勒尔博物馆

P.088

1886—1887

陶艺作品

比利时布鲁塞尔

皇家美术馆

P.068

1886—1887

陶艺作品

私人收藏

P.068

1887

马提尼克风景

英国爱丁堡

苏格兰国家画廊

P.097

1888

跳舞少女

美国华盛顿

国家画廊

P.102—P.103

1888

布道后的幻象（草图）

荷兰阿姆斯特丹

国立博物馆

P.105

1888

布道后的幻象

英国爱丁堡

苏格兰国家画廊

P.106—P.107

1888

搏斗的小孩（习作）

法国巴黎

私人收藏

P.108

1888

搏斗的小孩（草图）

荷兰阿姆斯特丹

国立博物馆

P.108

1888

搏斗的小孩

私人收藏

P.110

1888

波浪

法国巴黎

装饰艺术博物馆

P.111

1888

自画像——悲惨者

荷兰阿姆斯特丹

梵高美术馆

P.109

1889

橄榄园中的基督

美国佛罗里达州

诺顿画廊

P.131

1889

自画像

法国巴黎

奥赛美术馆

P.132

1889

能够爱，你将会快乐

美国马萨诸塞州

波士顿美术馆

P.137

1889

要更神秘

法国巴黎

奥赛美术馆

P.136

1890

母亲的画像

德国

私人收藏

P.038

1890

涅槃

美国康涅狄格州

哈特福德公共艺术博物馆

P.126

1891

塔西提女人·在海边

法国巴黎

奥赛美术馆

P.013

1891

马利亚

美国纽约

大都会博物馆

P.153

1891

持斧的男子

私人收藏

P.205

1891

火之舞

耶路撒冷

以色列博物馆

P.150–P.151

1891

戴花的女子

丹麦哥本哈根

新嘉士伯雕塑博物馆

P.148

1891—1892

沐浴女子

美国纽约

大都会博物馆

P.207

1891—1893

与高更同居的

塔西提女子蒂蝴拉

P.198

1892

欢乐（红狗）

法国巴黎

奥赛美术馆

P.208–P.209

1892

亡灵窥探

美国纽约州水牛城

诺克斯美术馆

P.156–P.157

1892

你嫉妒吗？

俄罗斯莫斯科

普希金美术馆

P.166–P.167

1892

魔咒

美国华盛顿

国家画廊

P.171

1892

你何时要嫁人？

瑞士巴塞尔

艺术博物馆

P.200

1892

今天有何新闻？

德国德累斯顿

国家艺术收藏馆

P.202–P.203

1892

近海边

美国华盛顿

国家画廊

P.212–P.213

1892

馨香的大地

日本冈山

大原美术馆

P.161

1892

露兜树下

美国德克萨斯州

达拉斯艺术博物馆

P.162—P.163

1892

在古老时光里

西班牙马德里

提森·博内米萨博物馆

P.160

1892

你去往何方

德国斯图加特

国家美术馆

P.169

1892

市集

瑞士

巴塞尔美术馆

P.174—P.175

1892

乐园

俄罗斯莫斯科

普希金美术馆

P.172

1892

她的名字叫薇玛蒂

俄罗斯莫斯科

普希金美术馆

P.178

1892

大树

美国俄亥俄州

克利夫兰艺术博物馆

P.176—P.177

1892

高更塔西提笔记《诺阿诺阿》手稿

法国巴黎

卢浮宫

P.182

1893

高更塔西提笔记《诺阿诺阿》

美国纽约

现代美术馆

P.181

1893
高更塔西提笔记《诺阿诺阿》
美国纽约
现代美术馆
P.180

1893
蒂阿曼娜的祖灵们
美国伊利诺伊州
芝加哥艺术中心
P.216

1893
神秘之水
私人收藏
P.217

1893
塔西提的牧歌
俄罗斯圣彼得堡
国立埃尔米塔什博物馆
P.218–P.219

1893
高更的自画像
美国圣安东尼奥
麦克奈艺术博物馆
P.220

1893
月亮与地球
美国纽约
现代美术馆
P.221

1894
爪哇安娜
私人收藏
P.215

1894
神的日子
美国伊利诺伊州
芝加哥艺术中心
P.224–P.225

1894
布列塔尼女人在祈祷
美国马萨诸塞州
克拉克艺术博物馆
P.233

1894
甜美的梦
俄罗斯圣彼得堡
国立埃尔米塔什博物馆
P.235

1896

自画像

法国巴黎

奥赛美术馆

P.241

1896

诞生

德国

慕尼黑美术馆

P.236–P.237

1896

女子画像

丹麦哥本哈根

赫希施普龙收藏艺术博物馆

P.253

1896

芳香的土地

法国巴黎

马赛美术馆

P.238–P.239

1896

你为何生气?

美国伊利诺伊州

芝加哥艺术馆

P.270–P.271

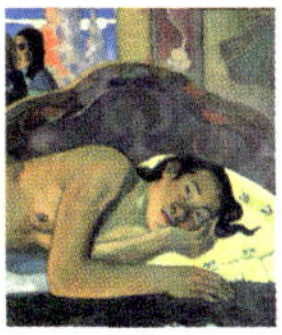

1897

永远不再

英国伦敦

寇特美术馆

P.226–P.227

1897

白日之梦

英国伦敦

寇特美术馆

P.228–P.229

1897

薇玛蒂

法国巴黎

奥赛美术馆

P.021

1897

我们从哪里来? 我们是什么? 我们要到哪里去?

美国马萨诸塞州波士顿美术馆

P.242–P.245

1898

美丽起来

英国伦敦

国家画廊

P.022–P.023

图书在版编目（CIP）数据

蒋勋谈高更：生命的热情 / 蒋勋著. -- 北京：北京联合出版公司，2018.5（2018.12重印）
ISBN 978-7-5502-9422-6

Ⅰ. ①蒋… Ⅱ. ①蒋… Ⅲ. ①高更(Gauguin, Paul 1848-1903) - 人物研究 Ⅳ. ①K835.655.72

中国版本图书馆CIP数据核字（2018）第039688号

著作权合同登记号：01-2014-7817
本书由作者授权出版

蒋勋谈高更：生命的热情
作　　者：蒋　勋
总 发 行：北京时代华语国际传媒股份有限公司
责任编辑：孙志文
封面设计：所以设计馆
版式设计：棱角视觉
责任校对：许　罡

北京联合出版公司出版
（北京市西城区德外大街83号楼9层　100088）
北京盛通印刷股份有限公司印刷　　新华书店经销
字数200千字　　710毫米×960毫米　1/16　　18.5印张
2018年5月第1版　　2018年12月第2次印刷
ISBN：978-7-5502-9422-6
定价：99.80元

Fatata te Miti